Déjouer les allergies ALIMENTAIRES

Recettes et trouvailles

Déjouer les allergies ALIMENTAIRES

Recettes et trouvailles

Marie-Josée Bettez
Éric Théroux

QUÉBEC AMÉRIQUE

Données de catalogage avant publication (Canada)

Bettez, Marie-Josée
Théroux, Éric

    Déjouer les allergies alimentaires : recettes et trouvailles
    Comprend un index.
    ISBN 2-7644-0192-2
    1. Allergie alimentaire – Diétothérapie – Recettes. 2. Allergie alimentaire. I. Théroux, Éric.
    II. Titre.
    RC588.D53B47 2002   616.97'50654   C2002-941548-9

Nous reconnaissons l'aide financière du gouvernement du Canada par l'entremise du Programme
d'aide au développement de l'industrie de l'édition (PADIÉ) pour nos activités d'édition.

Gouvernement du Québec – Programme de crédit d'impôt pour l'édition de livres – Gestion SODEC.

Les Éditions Québec Amérique bénéficient du programme de subvention globale du Conseil des
Arts du Canada. Elles tiennent également à remercier la SODEC pour son appui financier.

Conception graphique : Karine Raymond
Illustrations (poules et poussins) : Marie-Josée Bettez
Illustrations du lexique : QA International
Mise en pages : Andréa Joseph [PAGEXPRESS]
Photographie de la couverture : © Masterfile
Révision linguistique : Diane Martin
Révision des recettes : Joanne Martin, Dt. P., diététiste - nutritionniste
                       Membre de :
                       Ordre professionnel des diététistes du Québec (www.opdq.org)
                       Comité scientifique de l'Association québécoise des allergies alimentaires
                       (www.aqaa.qc.ca)
                       Groupe Harmonie Santé (www.harmoniesante.ca)

Les Éditions Québec Amérique inc.
329, rue de la Commune Ouest, 3e étage, Montréal, Québec, Canada, H2Y 2E1
Téléphone : (514) 499-3000, Télécopie : (514) 499-3010

Dépôt légal : 4e trimestre 2002
Bibliothèque nationale du Québec
Bibliothèque nationale du Canada

Imprimé au Canada

Table des matières

Mise en garde

Cet ouvrage a été conçu de façon à accélérer le repérage des recettes en fonction des principaux allergènes alimentaires. À l'occasion, les risques que présentent certains aliments pour les personnes allergiques y sont soulignés. Toutefois, c'est à l'utilisateur ou à l'utilisatrice de ce livre que revient la responsabilité ultime de s'assurer que tous les ingrédients des recettes sélectionnées conviennent à son régime de même qu'à celui de ses convives.

Par ailleurs, les renseignements contenus dans cet ouvrage ne sauraient remplacer des soins et des conseils médicaux. Pour toute question spécifique relative aux allergies alimentaires, veuillez vous adresser à un ou à une allergologue.

À Christophe, notre bel amour.

Préface

Il faut, pour écrire un livre, un sujet, bien sûr, une raison, parfois, mais aussi une bonne dose de persévérance et d'inconscience.

Marie-Josée et Éric avaient tout cela et plus encore : un fils, Christophe, qui, dès les premiers jours après sa naissance, a dû se battre pour sa survie contre des allergies alimentaires multiples.

J'avais croisé le papa dans un cours de cuisine où seuls les plaisirs du goût et de la convivialité étaient à l'honneur. Il ne savait pas à l'époque que, dans les mois qui allaient suivre, la crème, le beurre, le poulet, le poisson, les crustacés et de nombreux autres aliments devraient être bannis de la liste d'épicerie.

Je me suis alors souvenu de cet exercice à travers lequel j'étais passé lorsque ma mère m'avait annoncé la maladie de mon père et le défi pour elle d'aider ce dernier à perdre du poids. Mon premier livre, *La santé dans les grands plats*, est alors né : vous m'imaginez, sans crème ni beurre ?

C'est dire que Marie-Josée et Éric ont réellement vécu leur livre. Ils ont découvert ce que c'est que de faire son marché quotidiennement en utilisant uniquement des produits frais, ce que Bocuse appellerait « la cuisine du marché ». Ils ont fait le travail du cuisinier, qui est de composer des plats différents, avec en plus comme contrainte de ne pas avoir toutes les notes sur leur clavier de manière à pouvoir jouer une composition exacte.

Un travail colossal.

Je crois savoir, pour avoir croisé Christophe, qu'il n'a pas à s'en faire pour sa santé ; ses parents ont travaillé fort, très fort, pour que plus jamais il ne soit conduit d'urgence à l'hôpital. Mieux encore, grâce à leurs diverses recherches, à leurs recettes minutieusement préparées, à leurs innombrables lectures, grâce à tous leurs efforts, ce livre rendra service assurément à des parents souvent surpris, démunis aussi, devant l'ampleur du défi que représente l'alimentation d'un enfant allergique. Il permettra à des enfants comme Christophe de grandir, sans distinction, comme leurs petits camarades.

Jean Soulard
Chef exécutif
Le Château Frontenac

Remerciements

Faut-il, comme l'écrit Jean Soulard dans la préface, être un peu inconscient pour entreprendre l'écriture d'un livre tel que celui-ci ? Sans doute. Fort heureusement, nous avons pu compter, tout au long de ce périple, sur des compagnes et des compagnons de voyage qui nous ont aidés à parvenir à bon port.

Nous désirons tout d'abord témoigner notre reconnaissance à nos mères, Denise Thibault Bettez et Pierrette Martineau Théroux, qui nous ont donné accès à leurs archives culinaires ainsi qu'à celles de leurs mères. Leurs suggestions et leurs conseils nous ont été d'un grand secours.

Nous remercions également tous les autres membres de nos familles pour leur appui indéfectible. À cet égard, un merci tout particulier à Pierre Bettez, Isabelle Bettez, Jean-Sébastien Bettez, Alec Rajotte, Isabelle Langlois, Marie-Claude Théroux, Astrid Martineau, Louise Thibault et Gisèle T. Van Bockern.

Nous souhaitons exprimer notre gratitude à la merveilleuse équipe du service d'Allergie de l'hôpital Sainte-Justine : le Dr Anne Des Roches, allergologue et chef du service d'Allergie, qui a accepté de réviser la section « L'abc de l'allergie alimentaire », Lise Primeau, diététiste-nutritionniste, ainsi que Diane Cloutier et Diane Cusson, infirmières. Ces professionnelles, dont nous avons pu admirer la grande compétence, sont aussi des femmes de cœur qui font un travail admirable.

Nous sommes infiniment redevables à Jean Soulard, chef exécutif du Château Frontenac, pour sa disponibilité et sa sensibilité. Merci également à Joanne Martin, diététiste-nutritionniste, qui a révisé chacune des recettes de ce livre avec une grande minutie, et à Christina Blais, responsable de formation clinique à la faculté de médecine-nutrition de l'Université de Montréal, pour ses conseils toujours judicieux.

Un gros merci à Madeleine Leclerc qui, la première, nous a encouragés à rédiger ce livre et qui nous a dévoilé les secrets de quelques-uns de ses plats préférés, à Guy Dumas pour ses éclaircissements sur les diètes sans gluten, à Cheryl Leyten pour ses idées de substitution d'aliments, à Marie-France Fecteau et Marie-France Piché, qui ont testé et commenté certaines de nos recettes, ainsi qu'à Isabelle Gélinas, de qui nous tenons l'une de nos recettes de macarons. Tous nos remerciements à Lise Samson, Patricia St-Pierre, Marie Gagnon et Diane Defoy, dont l'implication bénévole dans le domaine des allergies alimentaires est inspirante. Merci à Isabelle, Veronica, Hélène et Lise, qui nous ont confié les anecdotes amusantes relatées dans ce livre, et merci également à leurs petits, Béatrice, Sidney, Amerrik, Olivier et Charles pour leur humour, souvent involontaire mais toujours rafraîchissant.

Nous avons été très touchés de la confiance que nous a témoignée Jacques Fortin et l'en remercions vivement. Merci également à toute l'équipe de Québec Amérique : Luc Roberge, Anne-Marie Villeneuve, Michel Joubert, Anouschka Bouchard, Karine Raymond, Diane Martin et Mireille Bertrand. Nous avons senti dès le départ que notre livre (notre deuxième bébé) était en d'excellentes mains.

Nous sommes très reconnaissants à Jean-Pierre et Diane Gagné ainsi qu'à Pierre Cayouette d'avoir cru dans ce projet et d'avoir contribué à sa concrétisation.

Et, à Christophe, notre source d'inspiration et notre plus précieux complice, un merci grand comme le ciel !

Avant de commencer

Il était une fois...

... un petit bonhomme aux cheveux dorés comme les blés et aux yeux aussi bleus que des bleuets. Un petit garçon gourmand, rieur, curieux de tout. Christophe, notre fils.

Il avait 16 mois lorsque cela s'est produit. C'était une belle soirée chaude de juin. Nous profitions des derniers rayons du soleil, confortablement installés dans des chaises de toile, tandis que Christophe s'amusait dans son carré de sable. Le calme. La paix. Et puis tout a basculé.

Quelques instants plus tôt, nous avions offert à Christophe un morceau de chocolat noir en guise de dessert. Il en avait mangé une ou deux fois auparavant et avait semblé beaucoup apprécier. Ce soir-là, cependant, il n'en a pris qu'une toute petite bouchée et a refusé le reste. Presque immédiatement après avoir avalé le chocolat, il a commencé à se comporter de façon inhabituelle : visiblement mal à l'aise, il paraissait désorienté. Lorsqu'il s'est mis à râler, nous avons deviné qu'il était victime d'une réaction allergique. Ce n'était certes pas sa première réaction, mais celle-ci était, de loin, la plus sévère. Après lui avoir fait une injection d'adrénaline, nous avons foncé vers l'hôpital. Dans la voiture, il a vomi à plusieurs reprises, assez violemment. Malgré l'injection, il éprouvait toujours de la difficulté à respirer et ses lèvres étaient décolorées. Le trajet vers l'hôpital a pris une dizaine de minutes. Dix longues, interminables minutes.

Nous avons fait irruption dans la salle d'urgence en courant. Christophe a reçu, sans attendre, les soins nécessaires. La crise s'est résorbée. Après la disparition des symptômes, il est demeuré plusieurs heures en observation à l'hôpital, une rechute étant toujours possible. Par bonheur, il n'y en a pas eu.

Il faisait nuit noire lorsque nous sommes rentrés chez nous avec notre petit garçon, sain et sauf. Le sommeil l'avait finalement gagné. Il était si blond, si pâle et paraissait tellement fragile ! Nous avions craint de le perdre et nous pressentions déjà que notre vie ne serait plus jamais tout à fait la même.

Nous savions, bien avant cet incident, que Christophe souffrait d'un certain nombre d'allergies alimentaires. Parce que nous avions lu sur le sujet, nous connaissions les risques associés à de telles allergies et nous n'avions jamais pris celles-ci à la légère. Jusque-là, toutefois, ses réactions n'avaient eu aucune conséquence grave et la menace demeurait un peu théorique. Ce n'était plus le cas. C'était devenu terriblement concret. Et angoissant.

La gestion au quotidien des allergies de notre fils était d'autant plus ardue que leur nombre allait sans cesse croissant. Leur seule identification exigeait de notre part un travail d'investigation assez éprouvant. Les premières allergies alimentaires (lait et orge) de Christophe s'étaient déclarées alors qu'il était âgé de quatre mois. Des symptômes non équivoques nous avaient permis de déceler, avant son premier anniversaire, deux nouvelles allergies : banane et kiwi. Au cours des semaines ayant précédé l'incident relaté plus haut, nous avions par ailleurs noté l'apparition, à chaque repas ou presque, de rougeurs dans son visage accompagnées d'une enflure à peine perceptible de ses lèvres. Nous ne parvenions cependant pas à détecter les aliments déclencheurs. La réaction du mois de juin nous a incités à prendre des mesures draconiennes. Nous avons tout d'abord réduit l'alimentation de notre fils au strict minimum (trois ou quatre aliments). La disparition de ses symptômes a confirmé que nous étions sur la bonne voie. Nous avons alors réintroduit les aliments, les uns après les autres. Nous consignions, dans un journal alimentaire, tout ce que consommait Christophe ainsi que ses réactions lorsqu'il y en avait. Cette stratégie a permis de détecter plusieurs autres allergies : riz, moutarde, poulet, dinde, courgette, aubergine, brocoli, carotte, épinard, chou de Bruxelles, persil, haricot rouge, haricot vert, pois chiche, pois vert, lentille, cerise, pêche, ananas et certains melons. L'ingestion de ces aliments provoquait, en quelques minutes, l'un ou plusieurs des symptômes suivants : urticaire, enflure (légère ou prononcée) des lèvres ou du visage, vomissements et pleurs. Les allergies ainsi découvertes ont été confirmées par des tests cutanés au service d'Allergie de l'hôpital Sainte-Justine à Montréal. Ces tests ont en outre révélé que Christophe était allergique aux œufs ainsi qu'à certaines noix[1].

Ce fut une période difficile. Malgré sa diète limitée, Christophe ne souffrait d'aucune carence (nous nous en étions assurés auprès d'une diététiste-nutritionniste). Il n'empêche que notre alimentation à tous les trois (nous avions, dès le départ, adopté le même régime que Christophe afin de lui procurer un environnement totalement sûr) manquait cruellement de diversité. Sans compter que l'introduction de tout nouvel aliment était source d'appréhension. Nous en étions venus à redouter l'heure des repas et à considérer la nourriture comme un mal nécessaire. Il nous est arrivé, plus d'une fois, de fantasmer sur les petites pilules qui, dans les films de science-fiction, tiennent lieu de vivres !

Adeptes de la belle vie et de la bonne chère, nous ne pouvions toutefois nous résigner bien longtemps à ce triste état d'esprit. Nous avions toujours aimé concocter de bonnes bouffes pour les savourer en famille ou avec les amis et l'atmosphère presque euphorique qui accompagne un repas réussi nous manquait. Et surtout, comment se résoudre à ce que Christophe soit privé de ces mille et une gâteries qui rendent la vie si agréable ? Impensable ! Les mets préparés nous étaient (à de rares exceptions près) interdits ? Soit ! Nous allions donc tout faire nous-mêmes ! À nous, le pain maison, les bons pâtés, les gâteaux moelleux sans œufs et la crème glacée sans produits laitiers ! À nous les crêpes, les gaufres et la fondue au chocolat ! On allait voir ce qu'on allait voir !

---

1. Il est important de préciser que, d'après la littérature, les allergies alimentaires multiples sont rares. *A fortiori*, il est tout à fait exceptionnel de trouver, chez une seule personne, un si grand nombre d'allergies.

Animés de cet esprit guerrier, nous avons retroussé nos manches et transformé notre cuisine en un véritable laboratoire, créant et adaptant des recettes en fonction de nos besoins. Nous avons plongé avec délices dans les archives culinaires de nos grand-mères, recueilli les conseils éclairés de nos mères et fouiné, de ci de là, en quête d'inspiration. Nous avons découvert de nouvelles saveurs, des combinaisons inédites et une alimentation plus saine, sans additifs ni agents de conservation. Quel voyage fascinant! Et un voyage en famille par surcroît puisque, dès le départ, nous avons associé Christophe à notre quête en lui confiant un rôle actif dans la cuisine.

C'est le fruit de ce long processus d'expérimentation que nous livrons dans les pages qui suivent. La cuisine que nous vous proposons est résolument familiale (ce qui n'exclut pas un certain raffinement). Dans la mesure du possible, nous utilisons des ingrédients bruts (c'est encore la meilleure façon de limiter les risques que des allergènes se glissent sournoisement dans l'assiette), vendus, pour la plupart, dans les supermarchés (pour les autres, une petite visite au magasin d'aliments naturels pourra s'avérer nécessaire). Les recettes sont faciles à réaliser, même pour les non-initiés. Il s'agit en outre de recettes éprouvées puisqu'elles constituent en gros la base de notre alimentation. Un certain nombre d'entre elles ont par ailleurs été testées par des parents ou des amis.

Au moment d'écrire ces lignes, Christophe a un peu plus de quatre ans. C'est un grand garçon robuste, vibrant de santé. Au fil des mois et des années, nous avons introduit avec succès un grand nombre d'aliments, aussi son régime s'est-il considérablement diversifié. Sans compter qu'il a perdu quelques-unes de ses allergies (poulet, riz, carotte, aubergine et orge). Nous nous croisons les doigts mais, vraiment, l'avenir s'annonce bien!

La mère d'un préadolescent multiallergique nous a donné un jour ce conseil inspiré: «Concentrez-vous sur ce que vous pouvez manger plutôt que sur ce qui vous est interdit.» Cette philosophie, nous l'avons faite nôtre. Il vous sera d'autant plus facile de l'adopter à votre tour si le contenu de votre assiette est inspirant. Puissent donc les recettes proposées stimuler votre gourmandise, titiller vos papilles gustatives et vous inciter à mettre la main à la pâte!

À votre santé!

Marie-Josée Bettez
Éric Théroux
allergie@vs.qc.ca

Comment utiliser ce livre

La présence de poules et de poussins signifie qu'il s'agit d'une recette qui peut facilement être réalisée avec un jeune enfant. Celui-ci pourra verser dans un récipient les ingrédients préalablement mesurés, mélanger ceux-ci, donner à la préparation une forme particulière, etc. Les recettes qui conviennent bien à la cuisine avec un enfant sont par ailleurs marquées d'une étoile dans le « Tableau des recettes et des allergènes » (p. 315).

Ce tableau permet de déterminer, d'un seul coup d'œil, si la recette contient l'un ou l'autre des principaux allergènes alimentaires (œuf, lait, soya, arachide, noix, graine de sésame, blé, poisson, mollusques et crustacés). Ont été ajoutés à cette liste le bœuf et le poulet, étant donné la place de choix que ces viandes occupent dans l'alimentation nord-américaine. Ces informations ont d'autre part été compilées dans le « Tableau des recettes et des allergènes » reproduit à la fin du livre (p. 315). Il vous incombe toutefois de vous assurer que les ingrédients conviennent bel et bien à votre régime (à cet égard, voir la section « Étiquetage des aliments », p. 55).

L'impression, en caractères gras, du nom d'un allergène signifie qu'un ou plusieurs des ingrédients de la recette pourraient poser problème aux personnes qui y sont allergiques. Des explications sommaires sont fournies à cet égard en bas de page. Ces précisions sont reprises, parfois de façon plus détaillée, dans la section « Conseils pratiques et trouvailles » (p. 37). Ces mises en garde sont données à titre indicatif et n'ont rien d'exhaustif.

Une recette sans blé n'est pas nécessairement exempte de gluten.

sans :

œuf

lait

arachide

noix

graine de sésame

blé

poisson

mollusques

crustacés

bœuf

poulet

Macarons d'Isabelle

Préparation : 25 min   Cuisson : moins de 5 min   Repos : 1 h   Quantité : 60 macarons

Plusieurs douzaines de délicieuses petites bouchées préparées en un tournemain (ou presque) : qui dit mieux ? Une bonne idée pour les fêtes d'enfants, les réunions de famille, etc.

Conserver les macarons au réfrigérateur jusqu'au moment de servir.

> 125 ml (½ tasse) de lait de coco
> 310 ml (1¼ tasse) de sucre
> 125 ml (½ tasse) de margarine
> 5 ml (1 c. à thé) de vanille
> 625 ml (2½ tasses) de flocons d'avoine
> 250 ml (1 tasse) de noix de coco râpée (non sucrée)
> 90 ml (6 c. à soupe) de cacao

1   Mélangez le lait de coco et le sucre dans une casserole. Amenez le mélange à ébullition à feu vif en remuant à l'occasion. Poursuivez la cuisson à feu réduit pendant encore 1 minute, sans couvrir et en remuant presque constamment (attention aux débordements !). Retirez du feu. Réservez.

2   Dans un bol, mélangez la margarine, la vanille, les flocons d'avoine, la noix de coco râpée et le cacao. Versez sur ce mélange le sirop de lait de coco et de sucre encore fumant. Mélangez bien le tout.

3   À l'aide d'une cuillère, déposez des boulettes du mélange sur une plaque à pâtisserie recouverte d'une feuille de papier ciré. Façonnez les boulettes à votre goût. Laissez prendre au réfrigérateur pendant au moins 1 heure avant de servir.

LAIT : allergique aux produits laitiers ? Plusieurs margarines en contiennent, aussi est-il important de lire attentivement la liste des ingrédients de celle que vous utilisez. Par ailleurs, plusieurs marques de cacao contiennent (ou peuvent contenir) des traces de produits laitiers. N'hésitez pas à communiquer avec le manufacturier pour obtenir des précisions.

NOIX : les risques d'allergies croisées étant assez faibles, on ne recommande habituellement pas aux personnes allergiques aux autres noix d'éviter, à titre préventif, la noix de coco.

Truc : pour façonner les boulettes sans que le mélange colle à votre ustensile, utilisez une spatule en caoutchouc trempée dans l'eau très chaude.

Variante sans soya : remplacez la margarine par 105 ml (7 c. à soupe) de saindoux.

Les indications relatives au temps de préparation ainsi qu'au temps de cuisson sont approximatives. Elles ont, en effet, été arrondies aux 5 minutes près. En outre, la durée de cuisson mentionnée ne tient pas compte du temps nécessaire pour porter la préparation à ébullition, pour chauffer l'huile, etc. Par contre, les temps de cuisson mentionnés dans les étapes de réalisation de la recette sont aussi précis que possible. La mention « Repos » correspond au temps nécessaire pour faire mariner, lever ou refroidir la préparation.

Mise en contexte de la recette, garnitures et présentation suggérées, mode et durée de conservation du plat, etc. Un tableau précisant la durée d'entreposage de certains aliments au congélateur est, par ailleurs, reproduit dans la section « Conseils pratiques et trouvailles » (p. 37).

Les ingrédients sont classés selon leur ordre d'utilisation dans la recette. Des précisions sont fournies sur certains d'entre eux dans la section « Conseils pratiques et trouvailles » (p. 37). Pour savoir à quelle famille appartiennent les ingrédients mentionnés, consultez la section « Familles d'aliments » (p. 57).

Instructions claires et explicites. Certains termes plus techniques (comme le mot « façonner » employé dans cette recette) sont définis dans la section « Petit lexique de la cuisine et de l'allergie » (p. 69).

Trucs pour faciliter ou accélérer la préparation du plat.

Les variantes mentionnées sont celles qui ont été testées avec succès. D'autres adaptations sont généralement possibles (voir, à cet égard, la section « Aliments de substitution », p. 47).

Guide de survie

L'abc de l'allergie alimentaire

On en entend de plus en plus parler. Par les médias, à la garderie, à l'école. Taboue l'allergie alimentaire? Certainement pas! Et pourtant...

L'allergie alimentaire est encore bien mal comprise et trop nombreux sont ceux et celles qui persistent à en minimiser les conséquences, au grand désarroi des personnes qui en souffrent. Si l'état des connaissances dans ce domaine est en constante évolution, l'on en sait suffisamment pour dissiper certains mythes qui ont la vie dure... et qui font la vie dure à plusieurs d'entre nous!

Prévalence de l'allergie alimentaire

L'allergie alimentaire n'a rien d'un phénomène marginal. En Amérique du Nord, l'on estime que jusqu'à 8 % des enfants de moins de trois ans ont des réactions allergiques reliées aux aliments et qu'approximativement 2 % de la population adulte est touchée[1]. Aux États-Unis seulement, l'on évalue à environ 7 millions le nombre de personnes souffrant d'allergies alimentaires. En France, une étude récente fixe à 3,2 % la prévalence des allergies alimentaires pour l'ensemble de la population[2]. Les statistiques en cette matière sont, par ailleurs, régulièrement révisées à la hausse[3]. D'autre part, bien que les décès attribuables à l'anaphylaxie alimentaire soient relativement rares, il semblerait que leur nombre augmente, lui aussi[4].

---

1. Voir notamment : Sampson H.A. « What should we be doing for children with peanut allergy? » Éditorial, *Journal of Pediatrics*, 2000, n° 137, p. 741-743.
2. Kanny G., Moneret-Vautrin D.A., Flabbee J., Beaudouin E., Morisset M., Thevenin F. «Population study of food allergy in France», *Journal of Allergy and Clinical Immunology*, juillet 2001, n° 108, p. 133-140.
3. Santé Canada, Association canadienne des commissions scolaires, L'*Anaphylaxie : Guide à l'intention des commissions et conseils scolaires*, ministère des Approvisionnements et Services Canada, 1996, 66 p. ; Sampson H.A., Mendelson L., Rosen J.R. «Fatal and near-fatal anaphylactic reactions to food in children and adolescents», *New England Journal of Medicine*, août 1992, n° 327, p. 380-384.
4. Au cours des dernières années, il y a eu entre 12 et 50 décès annuellement au Canada à la suite de réactions anaphylactiques aux aliments : La Société canadienne d'allergies et d'immunologie clinique, *L'anaphylaxie à l'école et dans d'autres établissements et services pour enfants*, août 1995. Aux États-Unis, les allergies alimentaires sont responsables de près de 125 décès chaque année : Burks W., Bannon G.A., Sicherer S., Sampson H.A. «Peanut-induced anaphylactic reactions», *International Archives of Allergy and Immunology*, juillet 1999, n° 119 (3), p. 165-172.

Comment expliquer cette triste progression ? Perplexes, les spécialistes avancent plusieurs hypothèses, parmi lesquelles : de meilleurs diagnostics, l'évolution des habitudes alimentaires de la population, la disponibilité accrue d'aliments très allergisants et leur introduction précoce dans l'alimentation.

Définition et symptômes

Mais qu'est-ce que l'allergie alimentaire ? Il s'agit d'une réaction disproportionnée du système immunitaire provoquée par l'exposition à une ou à plusieurs protéines d'un aliment[5]. L'ingestion d'une infime quantité de cet aliment peut suffire à provoquer une crise. Chez les personnes très sensibles, la réaction peut même survenir à la suite d'un simple contact cutané ou de l'inhalation. Les symptômes allergiques se manifestent généralement dans un délai variant de quelques secondes à deux heures après l'exposition à l'aliment déclencheur.

La réaction allergique est, en quelque sorte, le résultat d'une méprise : jugeant menaçante une substance (l'aliment) en soi inoffensive, le système immunitaire passe à l'attaque et sort l'artillerie lourde dans le but de protéger l'organisme. Cela ne se fait toutefois pas sans quelques dommages collatéraux...

Ainsi, après avoir été exposé à l'aliment au cours d'une étape que l'on appelle sensibilisation, le système immunitaire produit des anticorps [immunoglobulines E (IgE)] spécifiques à cet aliment. Ces anticorps entreront éventuellement en action à la suite d'une exposition subséquente à l'aliment et provoqueront la libération, dans l'organisme, de quantités massives d'histamine et de diverses autres substances chimiques. Ces substances déclencheront, à leur tour, toute une série de symptômes pouvant affecter les systèmes cutané, digestif, respiratoire et cardio-vasculaire.

La nature de ces symptômes tout comme leur gravité sont extrêmement variables : démangeaisons, urticaire, enflure (lèvres, yeux, langue, gorge, visage...), larmoiement, congestion nasale et écoulement, nausées, vomissements, crampes abdominales, diarrhée, altération de la voix, toux, sifflements, serrement de la gorge, difficulté à avaler, difficultés respiratoires, étourdissements, choc anaphylactique. Cette dernière réaction, qui se caractérise par

---

5. Il peut également s'agir d'un additif alimentaire.

une perte de conscience, peut, en l'absence de traitement, être fatale. Heureusement, elle se produit rarement.

L'évolution d'une réaction allergique est imprévisible. Il est possible qu'un seul des symptômes mentionnés précédemment se manifeste, mais il arrive également que plusieurs d'entre eux apparaissent simultanément. Par contre, il est rare qu'ils soient tous présents.

Allergie et intolérance

L'intolérance, tout comme l'allergie, peut être définie comme une réaction anormale de l'organisme à la suite de l'ingestion d'un aliment. Quoique certaines de leurs manifestations (nausées, vomissements, crampes abdominales et diarrhée) se ressemblent, il s'agit de deux phénomènes bien distincts. L'intolérance, contrairement à l'allergie, ne fait pas intervenir le système immunitaire. N'affectant que le système digestif, elle ne met pas la vie en danger. D'autre part, la sévérité des symptômes de l'intolérance est habituellement fonction de la quantité ingérée tandis que, dans le cas d'une allergie, une toute petite quantité de l'aliment en cause peut déclencher une crise. Ainsi, une personne ayant une intolérance au lactose (sucre contenu dans le lait) peut, en règle générale, boire une petite quantité de lait sans ressentir trop d'inconfort. Cependant, si c'est d'une allergie aux produits laitiers qu'elle souffre, une simple trace de lait peut provoquer une réaction grave.

Diagnostic

Le diagnostic d'allergie alimentaire est établi par un ou une allergologue qui s'appuie sur l'histoire de cas (d'où l'utilité de tenir un journal alimentaire dans lequel sont consignés les aliments consommés de même que toute réaction inhabituelle à ceux-ci) ainsi que sur des tests cutanés ou sanguins. Utiles, ces derniers ne sont cependant pas infaillibles et un test de provocation[6], effectué sous contrôle médical, peut être nécessaire pour confirmer le diagnostic.

Profil de l'allergique

Ainsi que le démontrent les statistiques citées précédemment, les enfants de moins de trois ans appartiennent au segment de la population le plus

---

6. Il s'agit, pour le patient, de consommer l'aliment en cause à plusieurs reprises dans un laps de temps donné. Les quantités offertes augmentent progressivement.

susceptible de développer une ou plusieurs allergies alimentaires. De fait, bien que pareilles allergies puissent se manifester à tout âge, elles apparaissent généralement au cours des deux premières années de vie. La majorité des jeunes enfants perdent leurs allergies avant d'avoir atteint l'âge d'aller à l'école ; voilà pourquoi le pourcentage d'adultes affectés est beaucoup plus faible.

Outre l'âge, l'hérédité joue un rôle de premier plan en cette matière. Certaines personnes sont en effet génétiquement prédisposées à développer des allergies. Sont particulièrement à risque ceux et celles issus de familles ayant une histoire chargée d'allergies (alimentaires et environnementales), d'asthme et d'eczéma. Ainsi, le risque de développer des allergies, relativement faible lorsque aucun des parents n'en souffre ni n'en a souffert (10 %), augmente de façon significative lorsque l'un des parents est (ou a été) allergique (30 à 40 %) et de façon dramatique lorsque les deux parents sont (ou ont été) allergiques (80 %).

Principaux allergènes alimentaires

S'il est vrai que l'on peut être allergique à n'importe quel aliment, il reste qu'un petit nombre d'entre eux est à l'origine de la plupart des réactions. Nos habitudes alimentaires y sont apparemment pour beaucoup : les aliments consommés en grande quantité dans un pays sont en effet plus susceptibles de se retrouver sur la liste des principaux allergènes. Ainsi, l'allergie au riz est assez répandue au Japon tandis qu'en Norvège, en Suède et au Danemark, c'est le poisson qui est le plus souvent incriminé. Au Canada, l'arachide, l'œuf, le lait, les noix, la graine de sésame, le soya, le poisson, le blé, les crustacés et les mollusques sont responsables de 90 % des réactions allergiques.

L'arachide

En Amérique du Nord, l'allergie à l'arachide est non seulement l'une des plus communes mais elle est aussi à l'origine de la plupart des réactions graves[7]. On croyait, jusqu'à ces dernières années, que l'on ne pouvait se débarrasser

---

7. C'est pour ces raisons que la Société canadienne d'allergie et d'immunologie clinique, de concert avec l'Association des allergologues et immunologues du Québec, recommande que l'arachide (de même que les noix en général) soit bannie dans les garderies, les prématernelles et les écoles primaires fréquentées par des enfants qui y sont allergiques.

de cette allergie. Or, des études récentes ont démontré que tel n'était pas forcément le cas. Ainsi, selon l'une de ces études, un peu plus de 20 % des enfants allergiques à l'arachide perdraient leur sensibilité à cet aliment avec le temps[8].

Il n'est sans doute pas inutile de préciser que, contrairement à la croyance populaire, l'arachide n'est pas une noix. Elle appartient plutôt à la famille des légumineuses, tout comme le soya (voir la section «Familles d'aliments», p. 57). Malgré tout, les protéines des noix et de l'arachide responsables des réactions allergiques se ressemblent. Ceci explique sans doute que 35 % des enfants allergiques à l'arachide le sont également à une ou à plusieurs noix[9].

Le lait
Jusqu'à 2,5 % des nourrissons développent une allergie aux produits laitiers. Heureusement, les deux tiers d'entre eux perdent leur allergie avant l'âge de deux ans. Et, à quatre ans, 95 % des enfants s'en seront débarrassés. Pour une faible minorité, hélas, l'allergie au lait perdure toute la vie.

L'œuf
L'allergie aux œufs touche 1,5 % des jeunes enfants. La très grande majorité d'entre eux (jusqu'à 80 %) perdra cette allergie avant l'âge scolaire[10]. Chez certaines personnes, l'allergie aux œufs persiste cependant toute la vie.

Le blanc d'œuf est plus allergénique que le jaune d'œuf. Mais que l'on soit allergique à l'un ou à l'autre, c'est l'œuf au complet qui doit être évité. Comment être certain, en effet, que l'une des composantes de l'œuf n'a pas été contaminée par l'autre?

8. Skolnick H.S., Conover-Walker M.K., Barnes Kowrner C., Sampson H.A., Burks W., Wood R.A. «The natural history of peanut allergy», *Journal of Allergy and Clinical Immunology*, février 2001, n° 107, p. 367-374.
9. Sicherer S.H., Burks W., Sampson H.A. «Clinical features of acute allergic reactions to peanut and tree nuts in children», *Pediatrics*, juillet 1998, n° 102 (1), p. E6.
10. Skolnick H.S., Conover-Walker M.K., Barnes Kowrner C., Sampson H.A., Burks W., Wood R.A., *loc. cit.*, note 8.

Le soya

Après le lait, l'œuf et l'arachide, le soya est l'allergène alimentaire le plus répandu chez les enfants. La plupart des jeunes enfants allergiques au soya perdent leur sensibilité à cet aliment avant l'âge de cinq ans.

Le soya est abondamment utilisé par l'industrie alimentaire, aussi cette allergie pose-t-elle des défis particuliers.

Les noix

Parmi les noix les plus souvent en cause dans les réactions allergiques, l'on retrouve : l'amande, la noix du Brésil, la noix de cajou, la noisette, la noix de macadamia, la pacane, le pignon, la pistache et la noix de Grenoble.

Les risques qu'un individu ayant développé une allergie à une noix soit allergique à au moins une autre noix s'élèvent à 37 %[11]. On recommande habituellement aux personnes allergiques à une ou à plusieurs noix de les éviter toutes (à l'exception de la noix de coco, l'allergie à cette dernière étant assez rare chez les personnes sensibles aux autres noix) et de proscrire également les arachides. L'allergie aux noix dure généralement toute la vie.

La graine de sésame

L'allergie à la graine de sésame, plus rare que celle à l'arachide, peut provoquer des réactions tout aussi sévères[12].

Le blé

Il importe de distinguer ici l'allergie au blé et l'intolérance au gluten (ou maladie cœliaque). La personne souffrant d'une intolérance au gluten doit éliminer de son alimentation toutes les céréales qui en contiennent (c'est-à-dire le blé, le seigle, l'avoine, et l'orge). Il lui faut par ailleurs respecter cette diète restrictive sa vie durant. Par contre, l'individu allergique au blé ne doit éviter que le blé (à moins, bien sûr, qu'il ait également développé une allergie à une ou à

---

11. Sicherer S.H. « Clinical implications of cross-reactive food allergens », *Journal of Allergy and Clinical Immunology*, décembre 2001, n° 108 (6), p. 881-890.
12. Zarkadas M., Scott F.W., Salminen J., Pong A.H. « Étiquetage des aliments allergènes courants au Canada – Revue de la littérature », *Journal of Allergy and Clinical Immunology*, 1999, n° 4 (3), p. 118-141.

plusieurs autres céréales) et il n'est pas exclu qu'il puisse un jour réintroduire cet aliment dans son régime. En effet, lorsqu'elle se manifeste dès les premières années de vie, l'allergie au blé disparaît habituellement avec le temps. Ainsi, les enfants allergiques au blé perdent, en général, leur sensibilité à cette céréale avant l'âge de cinq ans.

Le poisson

On peut être allergique à une seule espèce de poisson ou à plusieurs. Cette allergie dure habituellement toute la vie.

Les mollusques et les crustacés

Il arrive fréquemment qu'une personne soit allergique à plus d'une espèce de crustacés. Les allergies aux mollusques et aux crustacés ont tendance à persister toute la vie.

Prévention de l'allergie alimentaire

Peut-on prévenir l'allergie alimentaire ? À l'heure actuelle, il n'y a rien que l'on puisse faire, semble-t-il, afin d'empêcher à coup sûr son apparition. Certaines mesures peuvent cependant contribuer à réduire les risques qu'un jeune enfant développe pareilles allergies (à tout le moins ces mesures permettent-elles de retarder leur apparition). Ainsi, dans le cas de familles génétiquement prédisposées aux allergies, les allergologues recommandent généralement aux mères qui allaitent de s'abstenir de consommer certains aliments à fort potentiel allergénique (notamment les arachides et les noix). Des études ont en effet permis d'établir que certains nourrissons peuvent être sensibilisés à ces allergènes par l'allaitement maternel[13]. On ne conseille toutefois pas aux mères de modifier leur alimentation pendant la grossesse, d'une part parce que la sensibilisation durant la grossesse n'a pas été démontrée et, d'autre part, parce que l'on craint qu'une diète trop restrictive ait une influence négative sur le développement du fœtus. Par contre, l'on incite habituellement les parents à retarder l'introduction des aliments les plus allergisants dans l'alimentation des nourrissons à risque.

---

13. Lire notamment : Vadas P., Wai Y, Burks W., Perelman B. « Detection of peanut allergens in breast milk of lactating women », *Journal of the American Medical Association*, 4 avril 2001, n° 285 (13), p. 1746-1748.

Il est primordial de discuter de ces mesures de prévention avec un ou une allergologue. En outre, dans bien des cas, il est sage de s'assurer auprès d'un ou d'une diététiste que le régime alimentaire de la personne allergique répond à l'ensemble de ses besoins nutritionnels.

Traitement

Pour le moment, il n'existe pas de cure permettant de guérir de l'allergie alimentaire. L'unique façon d'empêcher à coup sûr la réaction allergique est d'éviter toute exposition à l'aliment qui déclenche celle-ci. Il faut lire soigneusement la liste des ingrédients des produits consommés, se familiariser avec les termes employés par l'industrie de l'alimentation (voir la section « Étiquetage des aliments », p. 55), respecter des normes d'hygiène élevées (lavage des mains avant et après les repas, utilisation d'ustensiles qui n'ont pas été en contact avec l'allergène...), etc.

En cas d'exposition accidentelle, la prise d'un antihistaminique peut soulager les symptômes d'une réaction ne mettant pas la vie en danger. Toutefois, si la réaction est sévère, il n'y a qu'un seul traitement possible : l'administration d'une dose d'épinéphrine (adrénaline). Ce médicament, disponible dans une seringue à ressort auto-injectable (EpiPen), a notamment pour effet de dilater les bronches (ce qui réduit la difficulté respiratoire) et de contracter les vaisseaux sanguins (ce qui fait diminuer l'œdème et soulage les urticaires graves). En d'autres termes, l'épinéphrine réduit les symptômes de la réaction allergique et permet à la personne qui en est victime de continuer à respirer.

L'épinéphrine n'est pas un médicament dangereux, bien que son administration puisse entraîner quelques effets secondaires désagréables : anxiété, tremblements, palpitations et mal de tête. Convenons qu'il s'agit là d'inconvénients mineurs lorsqu'une vie est en jeu !

L'injection doit être faite très rapidement, dès l'apparition des premiers symptômes d'une réaction allergique grave. Parce que chaque minute compte, il doit toujours y avoir, à proximité de la personne allergique, une trousse d'auto-injection d'épinéphrine.

L'effet de l'épinéphrine dure de 10 à 20 minutes. Dans la plupart des cas, une seule injection suffit à enrayer la réaction. Sitôt l'injection donnée, il est impératif de se rendre à l'hôpital le plus proche. Un traitement d'appoint peut en effet s'avérer nécessaire sans compter qu'une rechute, dans les heures qui suivent la réaction initiale, est toujours possible.

Il est essentiel de discuter avec un ou une allergologue d'un plan de traitement adapté en cas de réaction. Le port d'un bracelet Medic Alert précisant la nature de l'allergie est par ailleurs recommandé.

Dissiper les mythes

Il n'y a pas d'enfants allergiques, que des enfants capricieux.
L'allergie alimentaire est liée à un dérèglement du système immunitaire ; cela n'a rien d'un caprice ! En fait, les allergologues reconnaissent aujourd'hui que le refus, par un jeune enfant, de consommer un aliment dès son introduction dans son alimentation *peut* être un signe d'allergie à celui-ci, particulièrement lorsqu'il s'agit d'un enfant à risque.

L'allergie alimentaire est une réaction psychosomatique causée par le stress.
Une autre version de ce mythe veut que l'allergie alimentaire chez le jeune enfant soit le reflet de la trop grande nervosité des parents. Ces affirmations sont dénuées de tout fondement et témoignent d'une méconnaissance profonde du mécanisme de l'allergie alimentaire.

L'allergie à l'arachide peut être mortelle, mais les autres allergies alimentaires n'ont rien de bien inquiétant.
Statistiquement parlant, il est vrai que l'arachide est l'allergène alimentaire qui fait le plus de ravages. Il ne s'agit cependant pas du seul aliment susceptible de provoquer des réactions allergiques sévères. Des réactions anaphylactiques ont notamment été rapportées par suite de l'exposition à des protéines de noix, d'œuf, de lait, de poisson, de crustacés, de mollusques, de soya, de graine de sésame, de moutarde, de kiwi et d'ail. Et cette liste est loin d'être exhaustive ! En réalité, les allergies alimentaires sont imprévisibles et, peu importe l'aliment déclencheur, mieux vaut ne jamais relâcher sa vigilance.

Pour perdre une allergie alimentaire, il suffit de désensibiliser l'organisme en mangeant d'abord de petites quantités de l'aliment en cause puis en augmentant progressivement la dose.
Non seulement cette façon de voir est-elle erronée, mais elle peut avoir des conséquences dramatiques ! Il n'existe, à l'heure actuelle, aucune méthode connue permettant de désensibiliser les personnes qui souffrent d'une

allergie alimentaire. Des tentatives de désensibilisation, effectuées sous contrôle médical, ont dû être abandonnées parce qu'elles avaient été jugées trop dangereuses.

On peut manger un plat s'il ne contient qu'une toute petite quantité d'un aliment auquel on est allergique.
C'est faux, bien sûr. L'ingestion d'une trace de l'allergène peut suffire à causer une réaction allergique grave. Chez les personnes les plus sensibles, un simple contact cutané avec l'aliment déclencheur, voire son odeur, peut provoquer une réaction.

L'avenir
Les personnes souffrant d'allergies alimentaires et leur entourage ont d'excellentes raisons d'être optimistes. La recherche, dans ce domaine, va bon train et, d'après les spécialistes, plusieurs traitements encore expérimentaux (vaccin utilisant des protéines d'arachides modifiées, vaccin ADN, vaccin anti-IgE, herbe médicinale chinoise, etc.) sont très prometteurs. À suivre et de près…

Conseils pratiques et trouvailles

Les années passées à composer avec des allergies alimentaires multiples, à échanger avec d'autres parents vivant une situation similaire, à lire sur le sujet et à consulter à gauche et à droite, nous ont conduits à élaborer notre propre stratégie antiallergies. Trucs pour se simplifier la vie, mesures préventives, considérations diverses… nous vous livrons tout, en vrac. Qui sait ? Peut-être pourrez-vous glaner, dans les pages qui suivent, quelques idées heureuses ?

Des outils adéquats…

- Lorsque l'on consacre une partie importante de son temps à cuisiner, il est primordial de bien s'équiper. De bons ustensiles (des couteaux bien coupants, un assortiment de poêles et de casseroles de qualité, une plaque à pâtisserie à revêtement antiadhésif, une planche à découper de bonnes dimensions, des tasses et des cuillères à mesurer, des moules de formes et de dimensions variées, des plats à rôtir, des passoires, un fouet, etc.) et quelques appareils électroménagers de base (un mélangeur à main, un robot culinaire, etc.) s'imposent. À ce propos, une machine à pain n'est pas un appareil de luxe mais plutôt un achat essentiel si, comme nous, vous devez vous improviser boulanger en raison d'une diète limitée. C'est une dépense que vous pourrez par ailleurs rentabiliser en quelques mois seulement, le pain maison étant moins coûteux que celui acheté à l'épicerie.

- Lorsque vous serez raisonnablement bien outillé, vous pourrez, si le cœur vous en dit, enrichir progressivement votre collection de ces accessoires qui, sans être absolument indispensables, contribuent drôlement à améliorer la vie de tout cuisinier amateur : un thermomètre à viande, une balance, une sorbetière, une friteuse, un gaufrier, etc. Autant d'idées cadeaux à suggérer à vos proches et à vos amis !

… et les bons ingrédients

- L'utilisation d'ingrédients bruts réduit les risques que des aliments indésirables se glissent dans les plats cuisinés à la maison. Optez pour la simplicité chaque fois que cela est possible !

- L'achat d'aliments en vrac est toujours hasardeux : les risques de contamination par d'autres aliments sont, en effet, très élevés.

- Même lorsque l'on cuisine « simple », il est impossible de se passer de certains produits alimentaires composés ou ayant subi diverses transformations : levure chimique (poudre à pâte), margarine, épices, etc. Or, quoique d'usage courant, ceux-ci peuvent être problématiques pour certaines personnes ayant des allergies alimentaires.

Nous avons dressé une liste des ingrédients composés ou transformés apparaissant dans nos recettes qui pourraient poser problème en cas d'allergie à un ou à plusieurs des principaux allergènes alimentaires (la plupart des mises en garde qui suivent sont reprises dans les recettes elles-mêmes). Nous ne prétendons pas être exhaustifs (dans ce domaine, c'est chose impossible). La vigilance est donc toujours de mise !

– **Boisson de soya :** communément appelée « lait de soya ». Pour nos recettes, nous utilisons une boisson de soya non aromatisée. Les versions aromatisées (vanille, chocolat, amande, etc.) peuvent, en effet, contenir des ingrédients indésirables et sont, de toute façon, contre-indiquées pour bon nombre de plats.

– **Boisson de riz :** aussi appelée « lait de riz ». Pour les raisons mentionnées au paragraphe précédent, nous employons une boisson de riz non aromatisée.

– **Cacao :** plusieurs marques de cacao contiennent (ou peuvent contenir) des traces de lait.

– **Épices et fines herbes :** qu'elles soient vendues individuellement ou mélangées, les fines herbes et les épices séchées ou moulues peuvent contenir des traces de divers allergènes : produits laitiers, soya, arachides, noix, graines de sésame, blé, etc.

– **Levure chimique (poudre à pâte) :** la levure chimique, qui contient habituellement de l'amidon de maïs, peut également contenir de l'amidon de blé.

– **Margarine :** on trouve des produits laitiers dans bon nombre de margarines disponibles sur le marché. Quant au soya, il est sur la liste des ingrédients de la quasi-totalité d'entre elles (pour les fins de la classification des recettes de ce livre, nous avons donc présumé que la margarine utilisée contenait du soya). À notre connaissance, il n'existe pas, à l'heure actuelle, de margarine qui soit à la fois sans produits laitiers et sans soya (du moins au Québec).

– **Noix de coco :** la noix de coco est bel et bien une noix quoiqu'elle appartienne à une famille d'aliments distincte (voir la section « Familles d'aliments », p. 57). Les risques d'allergies croisées étant assez faibles, on ne recommande habituellement pas aux personnes allergiques aux autres noix (amandes, noix de cajou, noisettes, etc.) d'éviter, à titre préventif, la noix de coco. En cas de doute, consultez votre allergologue.

Dans les recettes réclamant de la noix de coco râpée, nous privilégions la noix de coco pure et non sucrée.

— **Pâtes :** les pâtes de blé fraîches, tout comme certaines pâtes de blé sèches, peuvent contenir des œufs.

— **Raisins secs :** les raisins secs vendus à l'épicerie peuvent contenir de l'huile végétale hydrogénée provenant du soya.

— **Saindoux et shortening végétal :** d'aucuns confondent ces matières grasses. Bien qu'elles puissent toutes deux être utilisées comme substitut du beurre, leur composition diffère grandement. Le saindoux est en fait de la graisse de porc fondue. Quant au shortening végétal, il est constitué de plusieurs huiles végétales : huile de soya, huile de palme, etc.

— **Sauce soya :** plusieurs sauces soya contiennent du blé.

— **Sirop d'érable :** certains producteurs de sirop d'érable utilisent des œufs pour éliminer les impuretés de leur sirop. D'autres (à moins que ce ne soient les mêmes ?) emploient un corps gras à base de produits laitiers (beurre, crème, etc.) comme additif antimousse. C'est dire que certains des sirops d'érable disponibles sur le marché (qu'ils soient biologiques ou non) peuvent contenir des traces d'œufs ou de produits laitiers.

— **Sucre glace :** également connu sous les noms de « sucre à glacer » ou de « sucre en poudre ». Il s'agit d'un mélange de sucre blanc réduit en poudre et de fécule de maïs (ce dernier ingrédient empêche la formation de grumeaux). Le sucre glace peut, par ailleurs, contenir de l'amidon de blé.

— **Thon conservé dans l'eau :** certaines marques de thon en conserve dans l'eau contiennent de la protéine de soya hydrolysée.

— **Tomates en conserve et pâte de tomates :** les assaisonnements (épices, fines herbes) parfois ajoutés à ces produits peuvent contenir divers allergènes (produits laitiers, graines de sésame, blé, etc.).

– **Vin :** certains vins sont clarifiés avec du blanc d'œuf (celui-ci est utilisé à l'étape du collage pour attirer et précipiter les matières solides en suspension). Il est donc possible que les vins ainsi traités contiennent des traces d'œuf.

• Les ingrédients mentionnés dans nos recettes n'ont généralement rien d'inhabituel et vous ne devriez éprouver aucune difficulté à vous les procurer. Des précisions s'imposent toutefois pour les deux produits suivants :

– **Haricot de soya rôti :** nous utilisons les grignotises fève soya *Clockit (Les aliments Croc'Dor Inc.)*. Ces « grignotises » ressemblent un peu à des pignons et leur goût rejoint celui de l'arachide. On peut les trouver dans la plupart des supermarchés.

– **Tofu ferme et tofu mou à texture fine :** nous obtenons d'excellents résultats avec le tofu *Mori-Nu*. Celui-ci est disponible dans les magasins d'aliments naturels ainsi que dans la plupart des supermarchés, au rayon des produits naturels.

Comme toujours, il est important de vous assurer que ces produits sont sans danger pour vous et pour vos convives.

Un régime varié et équilibré

• Même lorsque la diète est limitée, on peut donner l'illusion de la variété en apprêtant de diverses manières les mêmes aliments. Ainsi, les pommes de terre peuvent être assaisonnées de romarin après avoir été coupées en rondelles (p. 121) ou servies sous forme de galettes (p. 122). Le porc revient souvent au menu ? Que diriez-vous d'une salade froide de porc et de tomates séchées (p. 136), d'un rôti sauce aux dattes (p. 163) ou de filets farcis avec des asperges et du poivron (p. 164) ? Quant aux pâtes de blé, pourquoi ne pas en varier les formes ? Papillons (farfalle), spirales (fusilli), roues (ruote), tubes (penne), cheveux d'ange (capellini)… le choix est presque infini !

• L'emploi d'aliments de substitution (voir p. 47) permet d'adapter bon nombre de recettes et de reproduire avec succès plusieurs plats traditionnels (voir, à titre d'exemple, les lasagnes sans fromage, p. 185). Toutefois, on peut s'épuiser à tenter systématiquement de copier des mets connus, sans compter que l'on risque ainsi de se priver de belles découvertes culinaires. Osez des saveurs et des textures différentes !

Durée d'entreposage de certains aliments au congélateur

ALIMENT	CONGÉLATEUR (- 18 °C)
Abats	3 à 4 mois
Agneau (côtelettes, rôtis)	6 à 9 mois
Bleuets entiers, frais	1 an
Bœuf (steaks, rôtis)	6 à 12 mois
Boulangerie (produits faits de farine enrichie)	3 mois
Canneberges	1 an
Cretons	1 à 2 mois
Fines herbes	1 an
Fraises entières, fraîches	1 an
Framboises entières, fraîches	1 an
Jambon cuit (entier ou en tranches)	1 à 2 mois
Légumineuses cuites	3 mois
Mets en casserole	3 mois
Pâtes alimentaires cuites	3 mois
Pâtés à la viande	3 mois
Poisson gras	2 mois
Poisson maigre	6 mois
Porc (côtelettes, rôtis)	4 à 6 mois
Potages, soupes	2 à 3 mois
Rhubarbe	1 an
Riz cuit	6 à 8 mois
Sauces à la viande	4 à 6 mois
Tomates	1 an
Veau (en rôti)	4 à 8 mois
Viandes cuites (avec sauce)	4 mois
Viandes cuites (sans sauce)	2 à 3 mois
Viande hachée, en cubes, tranchée mince	3 à 4 mois
Volaille en morceaux	6 à 9 mois
Volaille entière	10 à 12 mois
Volaille cuite (avec sauce)	6 mois
Volaille cuite (sans sauce)	1 à 3 mois

Source : ministère de l'Agriculture, des Pêcheries et de l'Alimentation du Québec

• Une consultation avec un ou une diététiste ayant développé une expertise dans le domaine des allergies alimentaires peut s'avérer extrêmement profitable, surtout si l'éventail des aliments permis est limité.

Un garde-manger bien rempli

• Pour réduire un peu le temps passé à la cuisine, un mot d'ordre : congelez ! Toutes les fois que cela est possible, préparez plus de nourriture qu'il n'en faut pour un seul repas et placez le reste au congélateur. Les bouillons, fonds, soupes ainsi que nombre de sauces et de plats de viande se congèlent très bien. C'est le cas également des lasagnes, pizzas, tartes, du gruau, des gaufres, des compotes et du ketchup. N'oubliez pas de mettre sur chaque emballage une étiquette indiquant le nom du plat ainsi que la date de congélation. Il peut également être utile d'en préciser la composition de même que le volume. Le tableau ci-contre précise la durée de conservation de divers aliments congelés.

• Y a-t-il, dans votre entourage, quelques personnes de bonne volonté disposant d'un peu de temps libre ? Pourquoi ne pas leur demander de se joindre à vous, à intervalles réguliers, pour des sessions intensives de préparation de bons petits plats ? C'est fou tout ce que l'on peut réussir à faire avec un ou deux aides-cuistots en quelques heures ! Et cela peut être fort agréable.

Mieux vaut prévenir...

• Doit-on bannir de la maison un aliment si l'un des membres de la famille y est allergique ? La réponse à cette question dépend, en pratique, de toute une série de facteurs : le type d'aliment en cause (il est sans doute plus facile de renoncer au kiwi qu'à l'œuf), la sévérité de l'allergie (certaines personnes réagissent même à l'odeur de l'allergène), l'existence d'autres allergies alimentaires (lorsqu'elles sont nombreuses, il peut être plus difficile de bannir tous les aliments problématiques), l'âge de la personne allergique (un enfant est sans aucun doute plus vulnérable qu'un adulte), la présence d'enfants non allergiques (on hésitera à priver de produits laitiers les enfants qui peuvent en consommer), le degré de risque jugé acceptable, etc.

Nous avons choisi, pour notre part, d'adopter le régime alimentaire de notre fils et d'éliminer de notre maison les aliments qui lui sont interdits (à de rares exceptions près). Cette mesure, qui réduit presque à néant les risques d'accident à la maison, a contribué à diminuer énormément notre stress. Sans compter que notre petit bonhomme ne se sent privé de rien. Notre maison est un véritable havre de paix et cela, pour nous, n'a pas de prix.

Il se peut que vous jugiez cette solution extrême ou carrément inapplicable chez vous. Ce qui compte, en définitive, est de trouver une façon de faire avec laquelle vous soyez à l'aise et qui ne mette pas en péril la sécurité de la personne allergique.

• Si les allergènes n'ont pas été bannis de votre foyer, il est primordial que les membres de votre famille qui les préparent ou en consomment fassent preuve d'une hygiène irréprochable : lavage des mains et de la bouche après les repas et les collations, nettoyage scrupuleux des ustensiles, des récipients et des surfaces de travail, etc.

• Lisez avec soin la liste des ingrédients de chaque produit alimentaire. Assurez-vous de connaître les mots clés utilisés par les manufacturiers pour désigner l'allergène (voir la section « Étiquetage des aliments », p. 55).

À cet égard, il convient de noter que les normes canadiennes relatives à l'étiquetage prévoient qu'en principe tous les ingrédients et leurs constituants doivent être mentionnés sur l'étiquette des aliments préemballés. Ce principe souffre toutefois de nombreuses exceptions. Ainsi, les fabricants peuvent se contenter d'indiquer le nom collectif ou le nom de catégorie d'un certain nombre d'ingrédients (d'où l'emploi, par les manufacturiers, d'expressions telles que « colorant », « parfum » et « substance aromatisante »). Par ailleurs, plusieurs aliments, mélanges et préparations alimentaires utilisés comme ingrédients d'autres aliments sont exemptés d'une déclaration de leurs constituants (c'est le cas, par exemple, des assaisonnements, des mélanges d'épices et des mélanges de fines herbes). Pour plus de détails sur les normes applicables en cette matière, vous pouvez consulter le site web de l'Agence canadienne d'inspection des aliments (voir la section « Quelques ressources », p. 73).

• En cas de doute, communiquez avec le manufacturier pour obtenir des précisions sur la composition du produit alimentaire ou sur le processus de préparation ou d'emballage de celui-ci. C'est parfois l'unique façon de savoir si un produit est véritablement sûr.

- Prenez la peine de relire attentivement l'étiquette d'un produit connu à chaque nouvel achat : sa composition peut avoir changé tout comme son mode de production (auquel cas une nouvelle mise en garde pourrait apparaître sur l'emballage).

- Les alertes à l'allergie (vous savez, la fameuse mention : « peut contenir des traces de... ») sur les emballages de produits alimentaires se multiplient à un point tel que plusieurs en viennent à se demander s'il s'agit là d'un excès de prudence de la part des manufacturiers ou si la menace est réelle. Aux États-Unis, des chercheurs se sont penchés sur cette question. D'après leur étude[1], 18,2 % des produits portant une mention « peut contenir des arachides » contiennent effectivement des résidus de cet aliment. Les chercheurs sont d'avis que l'on en arriverait sans doute à un résultat similaire dans le cas des autres allergènes et recommandent par conséquent aux personnes allergiques de s'abstenir de consommer un produit comportant pareille mention.

- Après vous être assuré qu'un produit est sûr, mettez un autocollant sur l'emballage : cela vous évitera de relire inutilement des listes d'ingrédients déjà vérifiées.

- Si vous transférez un produit dans un nouveau contenant, prenez le temps de découper la liste des ingrédients apparaissant sur l'emballage d'origine et de la coller sur le nouveau récipient.

Pour les parents
- Parlez ouvertement et simplement des allergies alimentaires avec votre enfant. Adaptez toutefois votre message en fonction de son âge. Expliquer à un jeune enfant qu'il peut être malade s'il mange un aliment auquel il est allergique suffit généralement à lui faire comprendre la gravité de la situation (surtout s'il a encore en mémoire une ou deux expériences malheureuses) et à vous assurer sa collaboration. En revanche, lui dire qu'il risque d'en mourir peut être inutilement traumatisant pour lui. Avec le temps, vous pourrez raffiner et étoffer vos explications.

---

1. Niemann L.M., Hlywka J.J., Hefle S.L. « 565 Immunochemical analysis of retail foods labeled as "may contain peanut" or other similar declaration : implications for food allergic individuals », *Journal of Allergy and Clinical Immunology*, janvier 2000, p. 105.

• Établissez une liste des adultes autorisés à donner de la nourriture à votre enfant et expliquez à ce dernier que si quelqu'un d'autre lui offre à manger, il doit vous demander la permission au préalable.

• Dès son plus jeune âge, enseignez à votre enfant à ne pas mettre n'importe quoi dans sa bouche (voilà qui est plus facile à dire qu'à faire…), à ne pas avaler les miettes qu'il trouve sur la table, le comptoir ou le plancher et à ne jamais partager sa nourriture, ses ustensiles ou sa vaisselle.

• Aidez votre enfant à acquérir une attitude positive à l'égard de la nourriture en général. Une bonne façon d'y parvenir consiste à l'associer à la préparation des repas (à condition, bien sûr, que les ingrédients utilisés ne présentent aucun danger pour lui). Votre aide-cuistot pourra se rendre utile en mettant dans un récipient les ingrédients déjà mesurés, en remuant une préparation, en façonnant des boulettes, en découpant la pâte avec un emporte-pièce, etc. Plusieurs des recettes reproduites dans ce livre conviennent bien à la cuisine avec un jeune enfant. Pour les trouver, rien de plus facile : cherchez les poules et les poussins !

• Pourquoi ne pas organiser, à Pâques, une chasse aux œufs sans chocolat ? Il suffit de vous procurer quelques œufs creux en plastique coloré et d'y glisser de petits jouets. Fous rires garantis !

• Nous avons glané, sur Internet, une super idée pour profiter à plein et en toute sécurité de la fête de l'Halloween. Lorsque la tournée du voisinage est terminée et que la citrouille de votre petit est bien remplie, triez les friandises récoltées et mettez dans un sac celles qu'il ne peut manger. En compagnie de votre enfant, déposez ce sac à l'extérieur, à l'intention de la gentille sorcière de l'Halloween. Très gourmande, celle-ci survole les maisons, le soir de l'Halloween, dans l'espoir de se mettre quelques bonbons sous la dent et laisse de petits cadeaux (jouets ou autres) pour remercier les enfants qui ont pensé à elle. C'est toutefois une sorcière timide qui ne s'approche des maisons que lorsqu'elle est certaine de ne pas être vue. Votre enfant devra donc s'éloigner pour que s'effectue l'échange…

Lorsque votre enfant sera plus grand, vous pourrez laisser tomber la mise en scène (zut pour la magie !) et vous contenter de remplacer les sucreries défendues par de petites gâteries, comestibles ou non.

L'entourage

- Lorsque, pour une raison ou une autre, vos explications ne suffisent pas à convaincre votre entourage de la gravité des allergies alimentaires, diverses possibilités s'offrent à vous. Une mère de notre connaissance a réussi à obtenir la collaboration de certains membres de sa famille après avoir remis à ces derniers une série d'articles sur le sujet. On nous a rapporté que l'attitude d'une grand-mère à l'égard des allergies de son petit-fils avait changé radicalement après qu'elle eut participé à un atelier d'information sur l'EpiPen animé par une infirmière. Le port d'un bracelet Medic Alert a suffi à en convaincre d'autres que les allergies alimentaires devaient être prises au sérieux.

- Il se peut qu'en dépit de tous vos efforts certaines personnes demeurent peu coopératives. Ne vous épuisez pas à les convertir. Vous avez déjà bien assez à faire ! Prenez toutefois les mesures qui s'imposent pour assurer la sécurité de la personne allergique (particulièrement s'il s'agit d'un enfant).

En cas d'urgence

- À la maison, veillez à ce que votre trousse d'auto-injection d'épinéphrine (EpiPen) soit toujours rangée au même endroit. En cas de réaction allergique grave, vous saurez ainsi exactement où elle se trouve et serez d'autant plus efficace.

- La prudence commande d'avoir plus d'un EpiPen en votre possession. Vous aurez ainsi une solution de rechange si le premier EpiPen est défectueux, mal administré (par exemple si l'aiguille rate sa cible) ou si les symptômes réapparaissent avant votre arrivée à l'hôpital.

- Certains CLSC organisent des ateliers d'information sur l'EpiPen (on y traite généralement des symptômes d'une réaction allergique, de la façon d'administrer l'EpiPen, etc.). Des formations de base sont également dispensées occasionnellement dans des pharmacies.

- Il existe, sur le marché, des EpiPen d'entraînement (voir la section « Quelques ressources », p.73). Dépourvus d'aiguilles, ceux-ci permettent de s'exercer en toute sécurité. Vous pouvez également les utiliser pour sensibiliser et éduquer votre entourage.

• Prévoyez un plan d'urgence et notez-le par écrit. Précisez notamment les symptômes à surveiller, les médicaments à administrer, les personnes à joindre, etc. Faites valider ce plan par votre allergologue.

• Si c'est votre enfant qui souffre d'allergies alimentaires, préparez en outre une fiche d'identification avec sa photo, ses coordonnées, une liste de ses allergies, quelques indications en ce qui a trait aux précautions à prendre et, bien sûr, un plan d'urgence. Remettez une copie de ce document à toute personne qui en a la garde.

Besoin d'aide?

• Plusieurs ressources s'offrent aux personnes allergiques de même qu'à leur entourage : associations à but non lucratif, groupes de soutien, listes de diffusion sur Internet, etc. (voir, à cet égard, la section « Quelques ressources », p.73). Profitez-en! Échanger avec d'autres personnes vivant une expérience similaire peut s'avérer très positif.

Aliments de substitution

Vous connaissez sans doute le dicton : *Donne un poisson à un homme et il fera un bon repas ; apprends-lui à pêcher et il n'aura plus jamais faim*. Eh bien, voici de quoi pêcher !

Le tableau qui suit vous aidera à adapter moult recettes en éliminant de celles-ci un ou plusieurs ingrédients posant problème. Les substitutions qui y sont proposées sont le fruit de nos expérimentations et de nos lectures. Nous avons testé plusieurs d'entre elles, avec succès. Il faut parfois un brin d'audace (vous verrez, la boisson de riz, ce n'est pas si mal !) et souvent une bonne dose de patience avant de trouver la substitution adéquate et de parvenir à ajuster les autres ingrédients en conséquence. Cela vaut toutefois le coup puisque vous élargirez ainsi de façon incroyable votre horizon culinaire. Pour éviter les déceptions, deux petits conseils. Premièrement, n'essayez pas de recréer exactement le plat d'origine. Qu'importe si le goût ou l'apparence diffèrent un peu pourvu que cela soit bon ! Deuxièmement, fixez-vous des objectifs réalistes : toutes les recettes ne peuvent être adaptées avec un égal bonheur (une meringue sans œufs par exemple…).

À votre tour, maintenant, d'expérimenter !

ALLERGÈNE	SUBSTITUT	COMMENTAIRE
Beurre	250 ml (1 tasse) de beurre =	Dans les plats cuisinés. L'huile végétale peut être utilisée comme substitut du beurre clarifié. Par contre, si vous remplacez du beurre solide par de l'huile, il se peut que le résultat laisse à désirer. Il vaut mieux, dans pareil cas, opter pour de la margarine sans produits laitiers, du shortening végétal ou du saindoux (ceux-ci retiennent mieux l'air et permettent notamment d'obtenir des gâteaux plus moelleux) quitte, si cela est nécessaire, à ajouter un peu de sel pour remplacer celui contenu dans le beurre.
	250 ml (1 tasse) de margarine sans produits laitiers	
	185 ml (¾ tasse) d'huile végétale	
	250 ml (1 tasse) de shortening végétal	
	210 ml (⅞ tasse) de saindoux	
	185 ml (¾ tasse) de gras de poulet clarifié	
	Graisses animales (saindoux, graisse de bœuf, etc.) ou végétales (margarine, huile)	Pour cuire les aliments.
Blé	15 ml (1 c. à soupe) de farine de blé tout usage =	Pour épaissir les sauces, les potages, les ragoûts, etc.
	7 ml (1½ c. à thé) de fécule de maïs	
	15 ml (1 c. à soupe) de fécule de pommes de terre	
	7 ml (1½ c. à thé) d'arrow-root	
	7 ml (1½ c. à thé) de fécule de riz	
	15 ml (1 c. à soupe) de tapioca à cuisson rapide	
	Flocons d'avoine	Pour lier les éléments, par exemple dans un pain de viande.
	Pâtes de blé : pâtes de maïs, de riz, de seigle ou de sarrasin	
	250 ml (1 tasse) de farine de blé =	Dans les pains, les muffins, etc. Il est souvent nécessaire de combiner diverses farines pour obtenir le résultat souhaité. Par ailleurs, si vous remplacez la farine de blé par l'une ou l'autre des farines plus foncées, il vous faudra probablement doubler la quantité de levure chimique (poudre à pâte) prévue par la recette. Ces farines se liant moins facilement au cours de la cuisson, il est en outre préférable d'utiliser de plus petits moules. L'ajout de gomme de xanthan à la préparation facilitera la liaison des éléments au moment de la cuisson.
	125 ml (½ tasse) de farine d'orge	
	185 ml (¾ tasse) de farine de maïs	
	185 ml (¾ tasse) de farine de millet	
	185 ml (¾ tasse) de farine d'avoine	
	210 ml (⅞ tasse) de farine de riz	
	160 ml (⅔ tasse) de farine de pommes de terre	
	250 ml (1 tasse) de farine de soya + 60 ml (4 c. à soupe) de fécule de pommes de terre	
	310 ml (1¼ tasse) de farine de seigle	
	160 ml (⅔ tasse) de farine de seigle + 75 ml (⅓ tasse) de farine de pommes de terre	

ALLERGÈNE	SUBSTITUT	COMMENTAIRE
Bœuf et veau	Agneau, cheval, émeu, bison, etc.	
Cacao	30 g (1 oz) de cacao = 45 g (1½ oz) à 60 g (2 oz) de poudre de caroube	La poudre de caroube étant plus sucrée que le cacao, il convient de diminuer en conséquence la quantité de sucre indiquée dans la recette.
Chocolat	30 g (1 oz) de chocolat non sucré = 45 ml (3 c. à soupe) de cacao + 15 ml (1 c. à soupe) de margarine, beurre ou huile végétale 45 ml (3 c. à soupe) de poudre de caroube + 30 ml (2 c. à soupe) d'eau 30 g (1 oz) de chocolat mi-sucré = 15 g (½ oz) de chocolat non sucré (ou son substitut) + 15 ml (1 c. à soupe) de sucre	Pour préparer des sauces au chocolat, des desserts et d'autres sucreries.
Crème	Tofu mou à texture fine	Par exemple, dans les potages.
Crème sure	250 ml (1 tasse) de crème sure = 60 ml (4 c. à soupe) de fécule de maïs + 185 ml (¾ tasse) d'eau + 60 ml (4 c. à soupe) de vinaigre blanc 185 ml (¾ tasse) de tofu mou à texture fine + 45 ml (3 c. à soupe) de jus de citron	Dans les plats cuisinés allant au four. Passez le tout au mélangeur à main. Utilisez dans les potages et les salades.
Fécule de maïs	15 ml (1 c. à soupe) de fécule de maïs = 30 ml (2 c. à soupe) de farine de blé 30 ml (2 c. à soupe) de tapioca à cuisson rapide 30 ml (2 c. à soupe) de fécule de pommes de terre 15 ml (1 c. à soupe) d'arrow-root 15 ml (1 c. à soupe) de fécule de riz	Pour épaissir les sauces, les potages, les ragoûts, etc.
Fines herbes	15 ml (1 c. à soupe) de fines herbes fraîches hachées = 5 ml (1 c. à thé) de fines herbes séchées 2 ml (½ c. à thé) de fines herbes moulues	Ces substitutions, qui ne sont bien sûr d'aucun secours en cas d'allergie à une herbe donnée, sont toutefois utiles lorsque vous ne disposez pas de l'herbe fraîche (ou séchée ou moulue) réclamée par la recette.

ALLERGÈNE	SUBSTITUT	COMMENTAIRE
Fromage	Tofu ferme à texture fine	Dans les salades, lasagnes (p.185), etc.
Lait	250 ml (1 tasse) de lait =	
	250 ml (1 tasse) de lait de coco	Particulièrement approprié dans les desserts et autres sucreries.
	250 ml (1 tasse) de boisson de soya	Un substitut très polyvalent. Certaines boissons de soya sont enrichies de calcium et de vitamines A, B et D.
	250 ml (1 tasse) de boisson de riz	Une alternative à la boisson de soya. Certaines boissons de riz sont enrichies de calcium et de vitamines A, B et D.
	250 ml (1 tasse) d'eau + 15 ml (1 c. à soupe) de jus de citron + 2 ml ($\frac{1}{2}$ c. à thé) de levure chimique (poudre à pâte)	Dans certains plats cuisinés allant au four.
	185 à 250 ml ($\frac{3}{4}$ à 1 tasse) de jus de fruits	Notamment dans les muffins et gâteaux.
	250 ml (1 tasse) d'eau	Dans les sauces et les desserts. Le produit fini sera cependant moins onctueux.
	250 ml (1 tasse) de bouillons de viande, de volaille ou de légumes	Dans les sauces et les potages.
Lait évaporé sucré	500 ml (2 tasses) de lait évaporé sucré = 410 ml ($1\frac{2}{3}$ tasse) de lait de coco + 250 ml (1 tasse) de sucre + 5 ml (1 c. à thé) de fécule de maïs (pour épaissir)	Mettez les ingrédients dans une casserole et portez à ébullition. Réduisez le feu et laissez mijoter pendant une dizaine de minutes en brassant de temps à autre. La préparation devrait épaissir graduellement.
Levure chimique (poudre à pâte)	5 ml (1 c. à thé) de levure chimique (poudre à pâte) =	La levure chimique contient généralement de l'amidon de maïs. Elle peut également contenir de l'amidon de blé.
	1 ml ($\frac{1}{4}$ c. à thé) de bicarbonate de soude + 2 ml ($\frac{1}{2}$ c. à thé) de crème de tartre	
	1 ml ($\frac{1}{4}$ c. à thé) de bicarbonate de soude + 125 ml ($\frac{1}{2}$ tasse) de babeurre	
	1 ml ($\frac{1}{4}$ c. à thé) de bicarbonate de soude + 7 ml ($1\frac{1}{2}$ c. à thé) de vinaigre ou de jus de citron + 125 ml ($\frac{1}{2}$ tasse) de lait	
	1 ml ($\frac{1}{4}$ c. à thé) de bicarbonate de soude + 60 à 125 ml ($\frac{1}{4}$ à $\frac{1}{2}$ tasse) de mélasse	

ALLERGÈNE	SUBSTITUT	COMMENTAIRE
Mayonnaise	250 ml (1 tasse) de mayonnaise = 250 ml (1 tasse) de mayonnaise sans œufs ni produits laitiers (p. 281) 250 ml (1 tasse) de crème sure 250 ml (1 tasse) de yogourt 250 ml (1 tasse) de fromage cottage passé au mélangeur	Dans les salades et vinaigrettes.
Miel	250 ml (1 tasse) de miel = 375 ml (1½ tasse) de cassonnade + 60 ml (4 c. à soupe) d'eau 250 ml (1 tasse) de sirop de maïs 310 ml (1¼ tasse) de sucre + 60 ml (4 c. à soupe) d'eau	
Moutarde	Curcuma (même volume que la moutarde sèche)	Dans les marinades, les sauces, etc.
	Tapenade (p. 290)	Comme condiment dans les sandwiches.
	Ketchup maison (p. 286)	Dans certaines sauces.
Œuf	Les substitutions proposées valent lorsque le plat d'origine contient 1 ou 2 œufs. Les recettes qui requièrent 3 œufs ou plus sont, en règle générale, difficilement adaptables. **Pour lier et humidifier** (lorsqu'un plat ne contient qu'un seul œuf, celui-ci sert généralement à lier les ingrédients et à donner de la consistance au mélange)	
	1 œuf = 45 ml (3 c. à soupe) de liquide (eau, jus de fruits, etc.)	
	45 ml (3 c. à soupe) de purée de fruits ou de légumes selon qu'il s'agit d'un plat sucré ou salé	La purée de bananes et la compote de pommes, en particulier, constituent d'excellents substituts dans les gâteaux et les muffins.
	60 ml (4 c. à soupe) de tofu mou à texture fine	
	1 cube de préparation à base de graines de lin	Dans 750 ml (3 tasses) d'eau, faites bouillir 80 ml (⅓ tasse) de graines de lin pendant 20 à 30 minutes (jusqu'à consistance d'un blanc d'œuf cru). Filtrez le liquide ainsi obtenu puis versez-le dans un moule à cubes de glace. Congelez.

ALLERGÈNE	SUBSTITUT	COMMENTAIRE
Œuf (suite)	**Pour donner du volume** (lorsqu'une recette exige 2 œufs, c'est généralement pour donner du volume. Si vous ignorez la fonction des œufs dans un plat, utilisez l'un des substituts qui suit)	
	1 œuf =	
	15 ml (1 c. à soupe) de levure chimique (poudre à pâte) + 30 ml (2 c. à soupe) d'eau	Dans les gâteaux et les muffins.
	15 ml (1 c. à soupe) d'Egg-Replacer® + 30 ml (2 c. à soupe) d'eau tiède	
	15 ml (1 c. à soupe) de levure chimique (poudre à pâte) + 15 ml (1 c. à soupe) d'eau tiède + 15 ml (1 c. à soupe) de vinaigre de cidre ou de riz	Pour les biscuits et les gâteaux blancs.
	5 ml (1 c. à thé) de bicarbonate de soude + 5 ml (1 c. à thé) de vinaigre + 30 ml (2 c. à soupe) d'eau	
	7 ml (1½ c. à thé) de bicarbonate de soude + 3 ml (¾ c. à thé) de crème de tartre + 3 ml (¾ c. à thé) d'arrow-root ou de fécule de pommes de terre	Un excellent substitut si vous devez éviter le maïs.
	2 ml (½ c. à thé) de levure chimique (poudre à pâte) + 125 ml (½ tasse) de crème sure	À n'utiliser que dans les biscuits, les gâteaux aux épices et les gâteaux au chocolat.
	5 ml (1 c. à thé) de levure sèche active dissoute dans 60 ml (4 c. à soupe) d'eau tiède	
	Pour émulsionner (c'est-à-dire pour réunir des substances qui ne forment pas, naturellement, un mélange homogène)	
		Mettez, dans une casserole, la matière grasse ainsi que les ingrédients liquides prévus par la recette, portez à ébullition puis mélangez cette préparation avec les autres ingrédients en brassant vigoureusement afin de bien répartir le corps gras.
	Pour gélifier (c'est-à-dire pour transformer en une gelée)	
	1 œuf =	
	15 ml (1 c. à soupe) de gélatine neutre non sucrée + 30 ml (2 c. à soupe) d'eau chaude	
	15 ml (1 c. à soupe) de pectine + 30 ml (2 c. à soupe) d'eau chaude	

ALLERGÈNE	SUBSTITUT	COMMENTAIRE
Œuf (suite)	15 ml (1 c. à soupe) d'agar-agar + 30 ml (2 c. à soupe) d'eau chaude	
	5 ml (1 c. à thé) d'arrow-root, de tapioca ou de fécule de pommes de terre + 80 ml (⅓ tasse) d'eau	Mélangez dans une petite casserole et faites chauffer jusqu'à l'obtention de la consistance souhaitée. Retirez du feu et laissez refroidir.
	15 ml (1 c. à soupe) de fécule de maïs	Dans un flan.
Piment de la Jamaïque ou toute-épice	5 ml (1 c. à thé) de toute-épice = 2 ml (½ c. à thé) de cannelle + 2 ml (½ c. à thé) de clou de girofle moulu	« Toute-épice » (ou allspice) est le nom communément donné au piment de la Jamaïque. À ne pas confondre avec le mélange d'épices chinois surnommé « cinq-épices » ou « quatre-épices ».
Pomme de terre	Patate douce	Par exemple dans le pâté chinois (p. 168).
Poulet	Dinde, canard, lapin, etc.	
Riz	Kasha (sarrasin concassé ou entier rôti)	
	Couscous ou boulghour	
Sauce chili	250 ml (1 tasse) de sauce chili = 250 ml (1 tasse) de sauce tomate + 60 ml (4 c. à soupe) de cassonade + 30 ml (2 c. à soupe) de vinaigre + 1 ml (¼ c. thé) de cannelle + une pincée de clou de girofle moulu	
Sauce soya	15 ml (1 c. à soupe) de sauce soya = 10 ml (2 c. à thé) de mélasse + 5 ml (1 c. à thé) d'eau chaude + 1 ml (¼ c. à thé) de sel	
	160 ml (⅔ tasse) de sauce soya = 125 ml (½ tasse) de mélasse + 45 ml (3 c. à soupe) de vinaigre balsamique	

ALLERGÈNE	SUBSTITUT	COMMENTAIRE
Sauce tomate	Purée de poivrons rouges grillés	Sur les pâtes, les viandes grillées, etc. Faites griller les poivrons au four jusqu'à ce que leur peau boursoufle. Pelez les poivrons puis réduisez leur chair en purée à l'aide d'un robot culinaire.
	Pistou (p. 291)	Sur les pâtes, la pizza, etc.
Sucre blanc	250 ml (1 tasse) de sucre = 250 ml (1 tasse) de cassonade 330 ml (1⅓ tasse) de mélasse 185 ml (¾ tasse) de miel	Si vous utilisez de la mélasse ou du miel, vous devez diminuer la quantité de liquide mentionnée dans la recette.
Sucre glace	250 ml (1 tasse) de sucre glace = 250 ml (1 tasse) de sucre +15 ml (1 c. à soupe) de tapioca	Mélangez les ingrédients au robot culinaire jusqu'à l'obtention d'une consistance poudreuse.
Vin	Remplacez le vin rouge par un volume égal de jus de raisin ou de jus de canneberge. Remplacez le vin blanc par un volume égal de jus de raisin blanc ou de jus de pommes.	
Vinaigre	2 ml (½ c. à thé) de vinaigre = 5 ml (1 c. à thé) de jus de citron	
Yogourt	Tofu mou à texture fine Purée de bananes Boisson de riz Boisson de soya	Par exemple, dans les muffins.

Étiquetage des aliments

La vie serait infiniment plus simple si les étiquettes des produits alimentaires indiquaient clairement et simplement la présence d'ingrédients allergènes. Malheureusement, l'industrie a trop souvent recours à un jargon scientifique, plus susceptible d'induire en erreur les consommateurs et les consommatrices néophytes que de les informer. Apprendre à maîtriser ce vocabulaire hautement spécialisé est une obligation à laquelle les personnes allergiques et leurs proches ne peuvent se dérober.

Le service d'Allergie de l'hôpital Sainte-Justine à Montréal a établi une liste des mots clés utilisés par les manufacturiers pour indiquer la présence de certains allergènes alimentaires. Cette liste, reproduite ici avec l'autorisation de ses auteurs, a été mise à jour en juin 2002. Elle n'est pas nécessairement exhaustive, d'autant que de nouveaux termes peuvent s'ajouter avec le temps. Méfiez-vous des mots qui ressemblent à ceux qui y sont mentionnés et n'hésitez pas à communiquer avec le fabricant pour obtenir des précisions.

Arachide (cacahouète)

Beurre d'arachide, farine d'arachide, huile d'arachide, mandalonas (arachide transformée pour imiter une autre noix ou une amande), noix artificielles, noix mélangées, protéines d'arachides, protéines hydrolysées d'arachides.

Blé

Amidon (fécule de blé), blé (mou, entier, durum, dur, bulghur, boulghour), chapelure de blé, couscous, croûton, endosperme, épeautre, extraits de céréales, extraits solubles de blé grillé, farine (de blé, de blé entier, de blé concassé, blanche, enrichie, de gluten, graham, de froment, à pâtisserie, phosphatée, tout usage, durum, d'épeautre), fécule végétale, froment, germe de blé, gliadine, gluten, hostie, kamut, protéine végétale hydrolysée (P.V.H.), pseudoglobulines de blé, seitan, semoule, son, son de blé, spelt, triticale, vermicelle.

Maïs

Alcool de maïs (bière, bourbon, whisky, vodka, gin, liqueurs), amidon (fécule de maïs), céréale contenant du maïs, farine de maïs, flocons de maïs, huile de maïs, maïs, maïs concassé, maïs éclaté, produits dérivés du maïs (acide citrique commercial, fructose commercial, dextrose, glucose, dextrines, dextrimaltose, acide lactique), semoule de maïs, sirop de maïs (la mention « sucre ajouté » désigne souvent le sirop de maïs), son de maïs, sorbitol, sucre de maïs.

Œuf

Albumen, albumine, albumine de l'œuf, blanc d'œuf, conalbumine (ovotransferrine), globuline, jaune d'œuf, lécithine d'œuf et animale, livétine, lysozyme, mots commençant par « ovo », œuf, ovalbumine, ovoglobuline, ovomacroglobuline, ovomucine, ovomucoïde, ovovitelline, poudre de blanc d'œuf, poudre d'œuf, poudre de jaune d'œuf, poudre d'albumine, protéines ovo-lactohydrolysées, vitelline.

Protéine bovine

Albumine bovine*, alpha-lactalbumine, babeurre, bêta-lactoglobuline, beurre, bœuf*, caillé, caséinate, caséinate de calcium, caséinate de sodium, caséine, crème, gélatine*, globuline bovine*, gras de bœuf (suif)*, lactalbumine, lactoglobuline, lactose, lactosérum, lait, lait malté, poudre de lait écrémé, poudre de petit lait, protéines ovo-lactohydrolysées, solides de lait, solides de lait écrémé, veau*.

Les termes suivants n'indiquent <u>pas</u> la présence de protéines bovines : acide lactique, lactate, stéaroyl-2-lactylate et lactylate.

(* Certaines personnes allergiques aux produits laitiers tolèrent néanmoins les protéines du bœuf et du veau.)

Soya

Agent épaississant, albumine de soya, émulsifiant (non précisé), farine de soya, fécule végétale, fève germée non précisée, fève soya, germe de soya, huile de soya, huile végétale, isolat de protéine de soya, lécithine, miso, protéine de soya, protéine végétale, protéine végétale hydrolisée (P.V.H.), protéine végétale texturée (P.V.T.), sauce soya, shortening d'huile végétale, shoyu, sobee, soya, stabilisant (non précisé), tamari, tempeh, tofu.

Familles d'aliments

Si vous êtes allergique à un aliment, il est possible que vous soyez également sensible à un ou à plusieurs des aliments faisant partie de la même famille. C'est ce que l'on appelle les allergies croisées. Les risques d'allergies croisées varient beaucoup d'une famille d'aliments à l'autre. Avant de restreindre indûment votre régime, consultez un ou une allergologue[1].

Liste des aliments par ordre alphabétique[2]

A

69	Abricot
88.3	Achigan
90.7	Agneau
88.23	Aiguillat commun
42	Ail
86	Albumen
90.4	Alligator
88.4	Alose
69	Amande
3	Amarante
34	Amidon
11	Ananas
88.7	Anchois
50	Aneth
50	Angélique
88.2	Anguille
50	Anis
41	Arachide
58	Aramé
44	Arrow-root
19	Artichaut
42	Asperge
30	Atoca
75	Aubergine
8	Aveline
39	Avocat
34	Avoine

B

89	Babeurre
90.8	Bacon
24	Baie de genièvre (gin)
46	Banane
46	Banane plantain
88.24	Bar commun
19	Bardane
38	Basilic
88.10	Baudroie
15	Bette à carde
15	Betterave à sucre
89	Beurre
86.5	Bigorneau
90	Bison
86	Blanc d'œuf
34	Blé
30	Bleuet
90	Bœuf
63	Bolet
88.20	Bonite à dos rayé
34	Boulghour
10	Bourrache

1. Les listes qui suivent ont été élaborées principalement à partir d'informations figurant dans *L'Encyclopédie visuelle des aliments* (voir la bibliographie).
2. Les chiffres correspondent à la famille d'aliments.

88.8	Brochet	2	Champignon blanc ou de Paris	89	Crème à café
22	Brocoli	2	Chanterelle	89	Crème à fouetter
86.1	Buccin	91.2	Chapon	89	Crème aigre (sure)
34	Bulghur	32	Châtaigne	89	Crème de table
		26	Châtaigne d'eau	82	Crème de tartre
	C	23	Chayote	89	Crème glacée
43	Cacao	5	Chérimole	22	Cresson
70	Café	90.5	Cheval	85.2	Crevette
91.2	Caille	90.2	Chèvre	90.4	Crocodile
86.6	Calmar	90.2	Chevreau	38	Crosne
91.1	Canard	73	Chiclé	61	Crosse de fougère
34	Canne	19	Chicorée	50	Cumin
30	Canneberge	43	Chocolat	83	Curcuma
39	Cannelle	22	Chou		
23	Cantaloup	22	Chou chinois		D
13	Câpre	22	Chou-fleur	22	Daïkon (radis oriental)
78	Capucine	22	Chou-rave	53	Datte
52	Carambole	22	Chou de Bruxelles	91.2	Dinde
83	Cardamome	42	Ciboule	41	Dolique
88.16	Cardeau d'été	42	Ciboulette	88.26	Dorade
19	Cardon	71	Citron	88.14	Doré
50	Carotte	38	Citronnelle	9	Durian
41	Caroube	23	Citrouille	34	Durum
88.6	Carpe	48	Clou de girofle		
68	Carragheen	69	Coing		E
88.16	Carrelet	17	Collybie à pied velouté	42	Échalote
50	Carvi	22	Colza	85.2	Écrevisse
89	Caséine	23	Concombre	88.9	Églefin
74	Cassis	88.5	Congre	90.3	Émeu
34	Cassonade	91.2	Coq	88.23	Émissole
88.1	Caviar	86.2	Coque	19	Endive
75	Cayenne	50	Coriandre	34	Épeautre
71	Cédrat	23	Courge	88.13	Éperlan
50	Céleri	23	Courge musquée	15	Épinard
50	Céleri-rave	23	Courge spaghetti	86.4	Escargot
50	Cerfeuil	23	Courgette	88.28	Espadon
69	Cerise	34	Couscous	18	Estragon
75	Cerise de terre (Alkékenge)	85.1	Crabe	88.1	Esturgeon
2	Champignon de couche	89	Crème		

35	Mangoustan
4	Mangue
31	Manioc (tapioca)
88.20	Maquereau
38	Marjolaine
88.8	Maskinongé
34	Mélasse
38	Mélisse (citronnelle)
23	Melon
23	Melon honeydew
38	Menthe
88.9	Merlan
88.9	Merlu
34	Millet
69	Mirabelle
28	Morille
88.9	Morue
86.7	Moule
68	Mousse d'Irlande
22	Moutarde
90.7	Mouton
88.11	Mulet
69	Mûre
47	Muscade
30	Myrtille

N

22	Navet
69	Nectarine
69	Nèfle du Japon
8	Noisette
4	Noix de cajou
53	Noix de coco
33	Noix de ginkgo
76	Noix de kola
65	Noix de macadamia
20	Noix de pin (pignons)
40	Noix du Brésil
68	Nori (algue à maki)

O

87	Œuf
87	Œuf de faisane
87	Œuf de poule
91.1	Oie
42	Oignon
49	Olive
88.19	Omble de fontaine
88.19	Ombre
71	Orange
7	Oreille-de-Judas
34	Orge
38	Origan
86.3	Ormeau
60	Oseille
88.19	Ouananiche
86.12	Oursin

P

37	Pacane
53	Palmier (cœur de)
86.13	Palourde
71	Pamplemousse
50	Panais
14	Papaye
75	Paprika
23	Pastèque
21	Patate douce
23	Pâtisson
69	Pêche
75	Pepino
87.14	Perche
91.2	Perdrix
50	Persil
41	Petit pois vert
86.10	Pétoncle
90.2	Pigeon
48	Piment de la Jamaïque (toute-épice)

75	Piments rouge et vert
91.3	Pintade
19	Pissenlit
4	Pistache
2	Pleurote
88.16	Plie
69	Poire
42	Poireau
41	Pois
41	Pois chiche
59	Poivre blanc
59	Poivre noir
4	Poivre rose
59	Poivre vert
75	Poivron (toutes les couleurs)
71	Pomelo
69	Pomme
75	Pomme de terre
69	Pomme-poire
90.8	Porc
23	Potiron
88.9	Poulamon
91.2	Poule
91.2	Poulet
86.8	Poulpe
64	Pourpier
34	Pousse de bambou
69	Prune
69	Pruneau

Q

69	Quetsche
15	Quinoa

R

19	Radicchio
22	Radis
22	Radis noir
22	Radis oriental (daïkon)

88.18 Raie
22 Raifort
82 Raisin
72 Ramboutan
22 Rapini
88.22 Rascasse
88.23 Requin
68 Rhodyménie palmé
60 Rhubarbe
34 Riz
34 Riz sauvage
38 Romarin
22 Roquette
88.12 Rouget-barbet
22 Rutabaga

S
36 Safran
88.29 Saint-pierre
15 Salicorne
42 Salsepareille
19 Salsifis
88.14 Sandre
90.8 Sanglier
73 Sapotille
88.4 Sardine
60 Sarrasin
38 Sarriette
38 Sauge
88.19 Saumon
19 Scorsonère
88.22 Sébaste
86.11 Seiche
34 Seigle
34 Seitan
34 Semoule de blé
34 Semoule de maïs

57 Sésame
62 Shiitake
88.25 Sole
34 Son
34 Sorgho
41 Soya
25 Spiruline
34 Sucre

T
57 Tahini
75 Tamarillo
41 Tamarin
31 Tapioca
6 Taro
88.17 Tassergal
77 Thé (vert et noir)
88.20 Thon
38 Thym
41 Tofu
75 Tomate
75 Tomatille
19 Topinambour
88.19 Touladi (omble d'Amérique)
48 Toute-épice
34 Triticale
79 Truffe
88.19 Truite
87.21 Turbot

V
51 Vanille
58 Varech
90.1 Veau
82 Vin
82 Vinaigre de vin
81 Violette

W
58 Wakamé

Y
89 Yogourt

Liste des familles botaniques et biologiques d'aliments

ALIMENTS D'ORIGINE VÉGÉTALE

1. **Actinidiacées**
   Kiwi
2. **Agaricacées**
   Champignon de couche
   (champignon blanc ou de Paris)
   Chanterelle
   Girolle
   Pleurote
3. **Amarantacées**
   Amarante
4. **Anacardiacées**
   Mangue
   Noix de cajou
   Pistache
   Poivre rose[3]
5. **Anonacées**
   Chérimole
6. **Aracées**
   Malanga
   Taro
7. **Auriculariales**
   Oreille-de-Judas
8. **Bétulacées**
   Noisette
      aveline
9. **Bombacées**
   Durian
10. **Borraginacées**
    Bourrache
11. **Broméliacées**
    Ananas
12. **Cactacées**
    Figue de Barbarie

13. **Capparidacées**
    Câpre
14. **Caricacées**
    Papaye
15. **Chénopodiacées**
    Bette à carde
    Betterave à sucre
    Épinard
    Quinoa
    Salicorne
16. **Chlorophycées**
    Laitue de mer
17. **Collybiacées**
    Collybie à pied velouté
18. **Composacées**
    Estragon
19. **Composées**
    Artichaut
    Bardane
    Cardon
    Chicorée
    Endive
    Graine de tournesol
    Laitue (toutes les variétés)
    Pissenlit
    Radicchio
    Salsifis
    Scorsonère
    Topinambour
20. **Conifères**
    Noix de pin (pignon)
21. **Convolvulacées**
    Patate douce

22. **Cruciférées**
    Brocoli
    Chou
       colza
    Chou chinois
    Chou-fleur
    Chou-rave
    Chou de Bruxelles
    Cresson
    Moutarde
    Navet
    Radis
    Radis noir
    Radis oriental (daïkon)
    Raifort
    Rapini
    Roquette
    Rutabaga
23. **Cucurbitacées**
    Chayote
    Concombre
    Courge
       citrouille
       potiron
       pâtisson
       courgette
       courge musquée
       courge spaghetti
    Melon
       cantaloup
       melon honeydew
    Pastèque
24. **Cupressacées**
    Baie de genièvre (gin)

3. Le poivre rose (ou poivre rouge) provient d'un sous-arbrisseau sud-américain de la famille de l'herbe à poux.

25. **Cyanophycées**
    Spiruline
26. **Cypéracées**
    Châtaigne d'eau
27. **Dioscoréacées**
    Igname
28. Discomycètes
    Morille
29. **Ébériacées**
    Kaki
30. **Éricacées**
    Bleuet
    Canneberge (atoca)
    Myrtille
31. **Euphorbiacées**
    Manioc (tapioca)
32. **Fagacées**
    Châtaigne
    Faîne
33. **Ginkgoacées**
    Noix de ginkgo
34. **Graminées**
    Avoine
    Blé
       boulghour (bulghur)
       couscous
       durum
       épeautre
       farine de blé
       germe de blé
       seitan
       semoule de blé
       son
    Canne
       cassonade
       mélasse
       sucre

Jonc odorant
Maïs
   amidon
   farine de maïs
   huile de maïs
   maïs à éclater
   semoule de maïs
Millet
   sorgho
Orge
   malt
Pousse de bambou
Riz
Riz sauvage
Seigle
Triticale
35. **Guttifères**
    Mangoustan
36. **Iridacées**
    Safran
37. **Juglandacées**
    Pacane
38. **Labiacées**
    Basilic
    Crosne
    Marjolaine
    Mélisse (citronnelle)
    Menthe
    Origan
    Romarin
    Sarriette
    Sauge
    Thym
39. **Lauracées**
    Avocat
    Cannelle
    Feuille de laurier

40. **Lécythidacées**
    Noix du Brésil
41. **Légumineuses**
    Arachide
       huile
    Caroube
    Dolique
    Flageolet
    Haricot adzuki
    Haricot de Lima
    Haricot d'Espagne
    Haricot mungo
    Haricot rouge
    Haricot vert et jaune
    Jicama
    Lentille
    Lupin
    Luzerne
    Petit pois vert
    Pois
    Pois chiche
    Soya
       farine de soya
       germe de soya
       haricot de soya
       huile
       lécithine de soya
       tofu
    Tamarin
42. **Liliacées**
    Ail
    Asperge
    Ciboule
    Ciboulette
    Échalote
    Oignon
    Poireau
    Salsepareille

43. Malvacées
Cacao
   chocolat
Gombo
44. Marantacées
Arrow-root
45. Moracées
Figue
Jaque
46. Musacées
Banane
Banane plantain
47. Myristicacées
Muscade
   macis
48. Myrtacées
Clou de girofle
Feijoa
Goyave
Jaboticaba
Piment de la Jamaïque
(toute-épice)
49. Oléacées
Olive
50. Ombellifères
Aneth
Angélique
Anis
Carotte
Carvi
Céleri
   graine de céleri
Céleri-rave
Cerfeuil
Coriandre
Cumin
Fenouil
Panais
Persil

51. Orchidacées
Vanille
52. Oxalidées
Carambole
53. Palmacées
Cœur de palmier
Datte
Noix de coco
54. Papavéracées
Graine de pavot
55. Papilionacées
Fenugrec
56. Passifloracées
Fruit de la passion
57. Pédaliacées
Sésame
   halva
     huile de sésame
     tahini
58. Phéophyacées (algues)
Aramé
Hijiki
Kombo
Varech
Wakamé
59. Pipéracées
Poivre blanc
Poivre noir
Poivre vert
60. Polygonacées
Oseille
Rhubarbe
Sarrasin
61. Polypodiacées
Crosse de fougère
62. Polyporacées
Shiitake

63. Polyporées
Bolet
64. Portulacacées
Pourpier
65. Protéacées
Noix de macadamia
66. Punicacées
Grenade
67. Rhamnacées
Jujube
68. Rhodophycées
Mousse d'Irlande (carragheen)
Nori (algue à maki)
Rhodyménie palmé
69. Rosacées
Abricot
Amande
Cerise
Coing
Fraise
Framboise
Mirabelle
Mûre
Nectarine
Nèfle du Japon
Pêche
Poire
Pomme
Pomme-poire
Prune
Pruneau
Quetsche
70. Rubiacées
Café
71. Rutacées
Cédrat
Citron

Kumquat
Lime
Mandarine
Orange
Pamplemousse
Pomelo
72. Sapindacées
Litchi
Longane
Ramboutan
73. Sapotacées
Sapotille
chiclé
74. Saxifragacées
Cassis
Groseille
75. Solanacées
Aubergine
Cerise de terre (Alkékenge)
Pepino
Piments rouge et vert
Cayenne
Jalapeño
paprika
Poivron (toutes les couleurs)
Pomme de terre
Tamarillo
Tomate
Tomatille
76. Sterculiacées
Noix de kola
77. Théacées
Thé (vert et noir)
78. Tropæolacées
Capucine
79. Tubéracées
Truffe

80. Valérianacées
Mâche
81. Violacées
Violette
82. Vitacées
Raisin
crème de tartre
vin
vinaigre de vin
83. Zingibéracées
Cardamome
Curcuma
Gingembre

ALIMENTS D'ORIGINE ANIMALE

84. Batraciens
Grenouille
85. CRUSTACÉS
85.1 Cancridés
Crabe
85.2 Crustacés
Crevette
Écrevisse
Homard
85.3 Néphropsidés
Langoustine
85.4 Palinuridés
Langouste
86. MOLLUSQUES
86.1 Buccinidés
Buccin
86.2 Cardiidés
Coque
86.3 Haliotidés
Ormeau
86.4 Hélicidés
Escargot

86.5 Littorinidés
Bigorneau
86.6 Loliginidés
Calmar
86.7 Mytilidés
Moule
86.8 Octopodes
Poulpe
86.9 Ostreidés
Huître
86.10 Pectinidés
Pétoncle
86.11 Sépiidés
Seiche
86.12 Strongylocentroidés
Oursin
86.13 Vénéridés
Palourde
87. ŒUFS (oiseaux)
Œuf de poule
blanc d'œuf (albumen)
jaune d'œuf
œuf (sans autre indication)
Œuf de faisane
88. POISSONS
88.1 Acipenséridés
Caviar
Esturgeon
88.2 Anguillidés
Anguille
88.3 Centrarchidés
Achigan
88.4 Clupéidés
Alose
gaspareau
Hareng
Sardine

88.5 Congridés
Congre

88.6 Cyprinidés
Carpe

88.7 Engraulidés
Anchois

88.8 Esocidés
Brochet
maskinongé

88.9 Gadidés
Églefin
Goberge
Merlan
Merlu
Morue
Poulamon

88.10 Lophiidés
Baudroie

88.11 Mugilidés
Mulet

88.12 Mullidés
Rouget-barbet

88.13 Osmeridés
Éperlan

88.14 Percidés
Doré (sandre)
Perche

88.15 Pétromyzontidés
Lamproie

88.16 Pleuronectidés
Flétan
Plie
cardeau d'été
carrelet
flet commun
limande commune

88.17 Pomatomidés
Tassergal

88.18 Rajidés
Raie

88.19 Salmonidés
Saumon
ouananiche
Truite
omble de fontaine
ombre
touladi (omble d'Amérique)

88.20 Scombridés
Maquereau
Thon
bonite à dos rayé
germon

88.21 Scophthalmidés
Turbot

88.22 Scorpænidés
Sébaste
rascasse

88.23 Sélaciens
Requin
aiguillat commun
émissole
grande roussette

88.24 Serranidés
Bar commun

88.25 Soléidés
Sole

88.26 Sparidés
Dorade

88.27 Triglidés
Grondin

88.28 Xiphiidés
Espadon

88.29 Zeidés
Saint-pierre

89. PRODUITS LAITIERS
Babeurre
Beurre
Crème
à café
à fouetter
de table
Crème aigre (sure)
Crème glacée
Fromage
Lait (de vache)
caséine
lactase
lactose
lait concentré
lait concentré sucré
lait cru
lait écrémé
lait en poudre
lait entier
lait homogénéisé
lait micro-filmé
lait partiellement écrémé
lait pasteurisé
lait UHT
Lait de chèvre
Yogourt

90. VIANDES ROUGES
(chair et organes)

90.1 Bovidés
Bison
Bœuf
Gélatine
Veau

90.2 Caprinés
Chèvre
Chevreau
90.3 Casuaridés
Émeu
90.4 Crocodiliens
Alligator
Crocodile
90.5 Équidés
Cheval
90.6 Léporidés
Lapin
Lièvre
90.7 Ovidés
Agneau
Mouton
90.8 Suidés
Porc
  bacon
  jambon
Sanglier

91. VOLAILLE
91.1 Anatidés
Canard
Oie
91.2 Gallinacés
Caille
Chapon
Coq
Dinde
Faisan
Perdrix
Pigeon
Poule
Poulet
91.3 Phasianidés
Pintade

Petit lexique de la cuisine et de l'allergie

Abaisse
Pâte amincie sur une égale épaisseur à l'aide d'un rouleau à pâtisserie.

Abaisser
Étendre la pâte avec un rouleau à pâtisserie.

Allergène
Substance (aliment ou autre) qui détermine l'allergie et les troubles qui y sont associés.

Allergie
Réaction disproportionnée du système immunitaire provoquée par l'exposition à une substance (aliment ou autre) habituellement inoffensive.

Anaphylaxie
Réaction allergique grave et qui peut même être fatale en l'absence de traitement.

Badigeonner
Enduire d'une substance peu consistante (par exemple une huile ou une autre matière grasse).

Chinois
Petite passoire conique munie d'un manche que l'on utilise pour filtrer une préparation (bouillon, sauce, etc.) ou pour obtenir une purée lisse.

Choc anaphylactique
Réaction anaphylactique se caractérisant par une perte de conscience et qui peut être fatale en l'absence de traitement.

Ciboule
Plante aromatique dont la saveur évoque à la fois l'oignon et la ciboulette. Au Québec, on appelle souvent quoique erronément cette plante « échalote ».

Colorer
Caraméliser en surface des aliments en les saisissant à feu vif dans un corps gras ou en les exposant à la chaleur rayonnante d'un four.

Cuillère à égoutter
Longue cuillère dont la partie creuse est percée d'ouvertures. On l'utilise pour retirer des aliments d'un liquide.

Déglacer
Faire dissoudre, à l'aide d'un liquide, les sucs de cuisson adhérant au fond d'un récipient afin d'en faire une sauce.

Dégraisser
Retirer la graisse se trouvant à la surface d'un liquide. Pour dégraisser un fond ou un bouillon, on le laisse d'abord refroidir au réfrigérateur quelques heures. La graisse se solidifiera en surface et sera plus facile à enlever.

Écumer
Enlever l'écume qui monte à la surface d'un liquide (fond, bouillon, etc.) lorsqu'on le porte à ébullition.

Émincer
Couper en tranches très minces.

Emporte-pièce
Pièce en fer-blanc ou en acier inoxydable servant à découper une abaisse de pâte pour lui donner une forme quelconque (étoile, cœur, petit bonhomme, etc.).

Épépiner
Enlever les pépins d'un fruit ou d'un légume.

Épinéphrine
Médicament antiallergique à base d'adrénaline qui doit être utilisé en cas de réactions allergiques graves.

Façonner
Donner une forme particulière à une préparation.

Gril
Élément chauffant situé dans la partie supérieure d'un four et qui sert à griller ou à gratiner.

Hacher
Couper en petits morceaux.

Mélangeur à main
Appareil électroménager comportant un couteau-hélice et qui sert à mélanger et à broyer les aliments. Comme son nom l'indique, cet appareil tient dans une seule main.

Mélangeur de table
Appareil électroménager servant à mélanger et à broyer les aliments. Plus massif que le mélangeur à main, il est composé notamment d'un bol (muni d'un couvercle amovible) au fond duquel se trouve un couteau-hélice.

Moule à cheminée

Récipient creux et rond dont la partie centrale surélevée rappelle un peu le tuyau d'une cheminée. Ce moule sert notamment à préparer des gâteaux en forme de couronne.

Napper

Recouvrir un mets d'une sauce ou d'un coulis.

Parer

Enlever les parties inutiles ou non comestibles d'un aliment (par exemple, retirer la graisse et les conduits internes des rognons avant de les cuire).

Parures

Parties inutiles ou non comestibles d'un aliment (viande, volaille, poisson, légume, etc.) que l'on prélève au cours de sa préparation.

Pétrir

Malaxer (le plus souvent avec les mains) une pâte jusqu'à ce qu'elle soit lisse et homogène.

Pilon

Ustensile composé d'un manche relié à une plaque de métal circulaire percée de petites ouvertures. On se sert du pilon pour réduire les aliments en purée.

Pincée

Très petite quantité (moins de 1 ml / $\frac{1}{4}$ c. à thé).

Plaque à pâtisserie

Ustensile de cuisson métallique plat et de forme rectangulaire utilisé pour cuire au four les pièces de pâtisserie ne nécessitant pas de moules.

Plat à rôtir

Plat servant à faire rôtir une pièce de viande au four.

Râper

Réduire un aliment en poudre grossière ou en petits morceaux au moyen d'une râpe.

Réaction anaphylactique

Réaction allergique rapide et généralisée pouvant être mortelle en l'absence de traitement.

Réserver

Mettre de côté pour utiliser ultérieurement.

Revenir
Cuire un aliment dans un corps gras très chaud pour le faire colorer en surface.

Robot culinaire
Appareil électroménager pouvant accomplir plusieurs opérations : couper, hacher, mélanger, pétrir, etc. Il est composé notamment d'un bol (muni d'un couvercle amovible) et d'un jeu de lames.

Saisir
Exposer un aliment, au début de la cuisson, à une forte chaleur en le mettant en contact avec une matière grasse brûlante ou un liquide bouillant.

Sorbetière
Appareil servant à la préparation de sorbets et de crème glacée. Il est composé d'un récipient dans lequel est versé le mélange et de pales qui brassent celui-ci jusqu'à l'obtention de la consistance désirée.

Zeste
Partie externe et colorée de l'écorce des citrons et des autres agrumes.

Quelques ressources

Un large éventail de ressources s'offre aux personnes touchées de près ou de loin par les allergies alimentaires. Internet, tout particulièrement, est une source presque inépuisable (quoique non infaillible) de renseignements en cette matière.

Les ressources qui suivent sont tirées de nos signets personnels[1]. Certaines d'entre elles se trouvent à l'extérieur du Canada : pour celles-là, nous avons simplement indiqué l'adresse électronique. Les sites web retenus nous sont apparus dignes de foi, mais il va de soi que nous ne pouvons nous porter garants de l'exactitude de leur contenu.

1. CANADA

1.1 Organismes à but non lucratif

Association québécoise des allergies alimentaires (AQAA)
2, Complexe Desjardins
C. P. 216, succ. Desjardins
Montréal (Québec) H5B 1G8
Téléphone et télécopieur : (514) 990-2575
Site web : www.aqaa.qc.ca

L'AQAA est un organisme francophone offrant divers services à ses membres : bulletin, soutien téléphonique, conférences, formation, etc. On trouve, sur le site web de l'AQAA, quelques textes de fond.

Association d'information sur l'allergie et l'asthme (AIAA)
172, chemin Andover
Beaconsfield (Québec) H9W 2Z8
Téléphone et télécopieur : (514) 694-0679
Site web : www.aaia.ca/aaia/index.htm

L'AIAA est une organisation nationale ayant un bureau régional au Québec. Elle offre certains produits et services en français bien qu'elle fonctionne principalement en anglais. Ses membres sont invités à assister à des conférences et reçoivent, entre autres choses, un bulletin et des documents d'information. L'AIAA contribue par ailleurs à la mise sur pied de groupes de soutien locaux.

---

1. Cette liste a été mise à jour au mois de mai 2002.

Association pour l'asthme et l'allergie alimentaire du Québec
(Asthmédia)
2487, rue des Pruches
Charlesbourg (Québec) G1G 2A9
Téléphone : (418) 627-3141 1 877 627-3141
Télécopieur : (418) 627-8716

Association francophone de la région de Québec, Asthmédia organise
notamment des camps d'été pour enfants asthmatiques et allergiques.
Elle publie également un bulletin à l'intention de ses membres, offre un
service d'aide téléphonique, présente des conférences-échanges, etc.

Calgary Allergy Network
Site web : www.calgaryallergy.ca

Affilié à l'AIAA dont il héberge d'ailleurs le site web, ce groupe (ou plutôt
l'une de ses bénévoles) a créé son propre site d'une richesse inouïe. La
plupart des textes publiés sont en anglais, mais on en trouve également
de fort intéressants en français.

Anaphylaxis Canada
416 Moore Avenue, Bureau 306
Toronto (Ontario) M4G 1C9
Téléphone (sans frais) : 1 866 ANA-PHYL-AXIS
Télécopieur : (416) 785-0458
Site web : www.anaphylaxis.org

Les allergies potentiellement mortelles sont au cœur du mandat de cette
organisation anglophone. Elle propose divers services à ses membres :
aide téléphonique, bulletin, assistance pour créer un groupe de soutien,
etc. Elle organise par ailleurs des conférences et subventionne des
travaux de recherche.

Fondation canadienne MedicAlert®
Place du Canada
999, rue Saint-Antoine Ouest
Montréal (Québec) H3C 4M7
Téléphone : (514) 875-7466 (sans frais) : 1 800 668-6381
Télécopieur : (514) 875-5882
Site web : www.medicalert.ca

Le siège social de la Fondation est à Toronto, mais celle-ci a maintenant un bureau à Montréal. Le site web est bilingue et l'on y trouve notamment des informations sur les services offerts et la façon de devenir membre.

1.2 Professionnels de la santé

Association des allergologues et immunologues du Québec (AAIQ)
2, Complexe Desjardins, porte 3000
C.P. 216, succ. Desjardins
Montréal (Québec) H5B 1G8
Téléphone : (514) 350-5101
Télécopieur : (514) 350-5151
Site web : www.allerg.qc.ca

Le site de l'AAIQ contient une foule d'articles (dont un texte très complet et fréquemment mis à jour sur l'allergie à l'arachide) et de références. On peut également y consulter la liste des allergologues québécois. Site bilingue.

Hôpital Sainte-Justine, service d'Allergie
3175, chemin de la Côte-Sainte-Catherine
Montréal (Québec) H3T 1C5
Téléphone : (514) 345-4982
Télécopieur : (514) 345-4897
Site web : www.allerg.qc.ca/hsjservall.htm

Le service d'Allergie de l'hôpital Sainte-Justine a mis en ligne certains dépliants rédigés à l'intention de sa clientèle et qui portent, entre autres, sur les allergies à l'arachide, au lait et à l'œuf de même que sur l'EpiPen. Site bilingue.

1.3   Gouvernements

Agence canadienne d'inspection des aliments (ACIA)
Pièce 746-C - 2001, rue University
Montréal (Québec) H3A 3N2
Téléphone : (514) 283-8888 (sans frais) : 1 800 442-2342
Télécopieur : (514) 283-3143
Site web : www.inspection.gc.ca

L'ACIA offre un service d'alertes à l'allergie par voie de courrier électronique. Ses abonnés reçoivent des communiqués de presse sur les produits alimentaires vendus au Canada qui ont été rappelés parce qu'ils contiennent un aliment susceptible d'entraîner une réaction allergique bien que leur étiquette n'en fasse pas mention. Le site de l'ACIA contient par ailleurs le *Guide d'étiquetage et de publicité sur les aliments*. Il s'agit-là d'un document fort utile pour connaître les normes canadiennes applicables en la matière. Site bilingue.

Régie des rentes du Québec
C.P. 5200
Québec (Québec) G1K 7S9
Téléphone (sans frais) : 1 800 463-5185
Site web : www.rrq.gouv.qc.ca/fr/famille/nalha.htm

Une personne ayant la charge d'un enfant qui souffre d'allergies alimentaires multiples a droit à une allocation pour enfant handicapé si certaines conditions sont remplies. Tous les détails de ce programme se trouvent sur le site de la Régie. Site bilingue.

1.4 Autres

Allerex
C.P. 13307
Kanata (Ontario) K2K 1X5
Téléphone : (613) 831-7733
Télécopieur : (613) 831-7738
Site web : www.allerex.ca

On trouve sur le site d'Allerex (distributeur de l'EpiPen au Canada) des informations de base sur l'anaphylaxie ainsi que sur l'EpiPen (mode d'emploi, effets, etc.). En anglais.

Allergy Essentials
C.P. 11332, succ. H
Ottawa (Ontario) K2H 7V1
Téléphone : (613) 596-5300 (sans frais) : 1 888 850-6051
Télécopieur : (613) 596-2157
Site web : www.allergy-essentials.com

On peut se procurer sur ce site toute une gamme de produits destinés aux personnes allergiques ainsi qu'à celles souffrant d'asthme : EpiPen d'entraînement, étuis, affiches, vidéos éducatives, livres, dépliants d'information, etc. Le site est en anglais, mais certains des produits offerts sont en français.

Zoni
6519 Bunker Rd.
Manotick (Ontario) K4M 1B3
Téléphone et télécopieur : (613) 692-6912
Site web : www.zoniinc.com

ZONI inc. a mis au point un étui fixé à une ceinture (E-Belt) qui permet de transporter de façon sûre une ou deux seringues EpiPen. Site en anglais.

Protectube Manufacturing
9325, rue Yonge, bureau 152
Richmond Hill (Ontario) L4C 0A8
Téléphone : (905) 760-9313
Télécopieur : (905) 760-0539
Site web : www.protectube.com

Protectube Manufacturing Inc. fabrique et vend un étui permettant de transporter en toute sécurité une seringue EpiPen. Site bilingue.

2. ÉTATS-UNIS

2.1 Organismes à but non lucratif

Food Allergy & Anaphylaxis Network (FAAN)
Site web : www.foodallergy.org

Cette organisation compte plus de 24 000 membres dans le monde. Son site web contient une foule d'informations pertinentes. FAAN a également mis en ligne deux autres sites (www.fankids.org) qui s'adressent directement aux enfants et aux adolescents. Les trois sites sont en anglais.

Food Allergy Survivors Together
Site web : www.angelfire.com/mi/FAST

On trouve, sur ce site créé en 1994 par une adolescente de 16 ans souffrant d'allergies alimentaires sévères, des articles de fond, des trucs, des témoignages, etc. En anglais.

Peanut Allergy
Site web : www.peanutallergy.com

Un site consacré exclusivement à l'allergie à l'arachide et qui vaut le détour. En anglais.

2.2 Professionnels de la santé

American College of Allergy, Asthma and Immunology (ACAAI)
Site web : www.allergy.mcg.edu

Le site de l'ACAAI contient quelques articles de fond sur les allergies (bon nombre d'entre eux ont toutefois été transférés sur le site www.medem.com), des communiqués de presse, etc. Un questionnaire permet de tester ses connaissances dans ce domaine. En anglais.

Mayo Clinic, Allergy and Asthma Center
Site web : www.mayoclinic.com

Quelques textes fort bien écrits sur les types d'allergies, les traitements, les tests, etc. En anglais.

2.3 Autres

Avoiding Corn
Site web : www.vishniac.com/ephraim/corn.html

L'auteur de ce site est allergique au maïs, un aliment largement utilisé par l'industrie alimentaire. Il y relate son expérience et donne des conseils pratiques pour faciliter la gestion de cette allergie. En anglais.

Dey
Site web : www.allergic-reactions.com

On trouve sur le site de Dey (fabricant et distributeur de l'EpiPen aux États-Unis) un montage de séquences animées sur la réaction anaphylactique et sur la façon d'administrer l'EpiPen. Très intéressant. En anglais.

Allergy pack
Site web : www.allergypack.com

Allergypack propose une gamme d'étuis pour transporter une ou deux seringues EpiPen. Site en anglais.

Vermont Nut-Free Chocolates
Site web : www.vermontnutfree.com

On peut s'y procurer du chocolat sans arachides ni noix. Site en anglais.

3. FRANCE

3.1 Organisme à but non lucratif

Association française pour la prévention des allergies (AFPRAL)
Site web : www.prevention-allergies.asso.fr

L'AFPRAL aborde plusieurs dossiers d'importance pour les personnes devant vivre avec des allergies alimentaires : étiquetage des aliments, intégration à l'école, difficultés psychologiques, etc. Site en français.

3.2 Professionnels de la santé

AllergieNet
Site web : www.allergienet.com

Conçu par des allergologues, ce site traite d'allergies (alimentaires et autres), d'asthme et d'eczéma. On peut y lire divers textes intéressants dont un sur l'allergie à la moutarde. Site en français.

Allergique.org
Site web : www.allergique.org

Un autre site réalisé par des allergologues et auquel contribuent plusieurs organisations œuvrant dans le domaine des allergies. En français.

3.3 Autre

ABC allergies
Site web : www.abcallergie.com

Un site très riche comportant des renseignements de base sur plusieurs allergènes alimentaires, des statistiques, des dossiers intéressants, un forum de discussion, des questionnaires pour tester ses connaissances, etc. En français.

4. AUTRES PAYS

All Allergy
Site web : www.allallergy.net

Conçu par un médecin d'Afrique du Sud, ce site recense les ressources disponibles sur le web dans les domaines de l'asthme, des allergies et des intolérances. Très dense ! En anglais.

Allergy Society of South Africa (ALLSA)
Site web : www.allergysa.org

Un site sérieux et bien conçu. En anglais.

The Anaphylaxis Campaign
Site web : www.anaphylaxis.org.uk

Cet organisme à but non lucratif basé en Angleterre a été créé dans le but de fournir de l'aide aux personnes souffrant d'allergies alimentaires potentiellement mortelles. Site en anglais.

Food Anaphylactic Children Training and Support Association (FACTS)
Site web : www.allergyfacts.org.au

FACTS est un organisme australien à but non lucratif. Son site fourmille de conseils pour gérer de façon positive les allergies alimentaires. Une partie du site est réservée aux enfants. En anglais.

5. GROUPES DE SOUTIEN VIRTUELS

Aller-J_Aliment-R
Adresse électronique : fr.groups.yahoo.com/group/Aller-J_Aliment-R

Ce groupe de soutien et de discussion sur les allergies alimentaires a été créé en 2002. Il vise plus spécifiquement les parents d'enfants allergiques. En français.

Allergique
Adresse électronique : fr.groups.yahoo.com/group/allergique

Le modérateur de cette liste est un allergologue français. Les échanges touchent à tous les types d'allergies. En français.

POFAK
Adresse électronique : groups.yahoo.com/group/POFAK

Le groupe POFAK (Parents of Food Allergic Kids) a été créé en 1998. Le nombre de ses membres ne cesse d'augmenter. Il s'agit d'une véritable communauté virtuelle, extrêmement chaleureuse. Les participantes (ce sont surtout des mères) échangent trucs, informations et mots d'encouragement. En anglais.

Recettes et menus

Les bases ? Ce sont les bouillons, fonds et sauces… Tout ce qu'il faut pour préparer des mets vraiment savoureux ! Les allergies de notre fils nous ont fait redécouvrir les bouillons maison. Pas de comparaison possible avec les produits vendus dans les supermarchés ! Il est vrai qu'il faut y mettre le temps, mais c'est si facile à préparer ! Et puis le truc, vous l'aurez certainement deviné, consiste à préparer les bouillons à l'avance et à les congeler pour les utiliser au fur et à mesure de vos besoins.

BASES

Bouillon de bœuf

Préparation : 15 min	Cuisson : 2 h 5	Repos : 2 h ou plus	Quantité : 1¼ l (5 tasses)

Ce qui est bien avec les bouillons, c'est que l'on peut en varier la composition presque à l'infini. Les recettes de bouillons que nous vous proposons ici sont adaptées à notre régime alimentaire. Tels quels, ces bouillons sont délicieux, mais cela ne doit pas vous empêcher de les modifier à votre tour en ajoutant ou en retranchant des ingrédients.

1 oignon
2 clous de girofle
2 carottes
1 kg (2¼ lb) d'os à moelle de bœuf
1 gousse d'ail
2½ l (10 tasses) d'eau
2 ml (½ c. à thé) de thym séché
2 ml (½ c. à thé) d'origan séché
1 feuille de laurier
sel et poivre

1 Préchauffez le four à 200 ºC (400 ºF).

2 Coupez l'oignon en deux après l'avoir épluché. Piquez chaque moitié avec un clou de girofle. Coupez les carottes en rondelles. Faites colorer les morceaux d'oignon et les rondelles de carottes en les déposant sur une plaque à revêtement antiadhésif (sans aucun corps gras) puis en mettant le tout au four pendant 5 minutes.

3 Dans une grande casserole, mettez les os ainsi que les morceaux d'oignon et de carottes. Incorporez la gousse d'ail après l'avoir épluchée et écrasée. Versez l'eau. Ajoutez le thym, l'origan, la feuille de laurier, le sel et le poivre. Assurez-vous que les ingrédients soient complètement immergés (rajoutez de l'eau au besoin).

4 Portez à ébullition. Réduisez le feu et laissez mijoter doucement et à découvert pendant 2 heures en écumant de temps à autre.

5 Filtrez le bouillon à l'aide d'une passoire fine (chinois) afin de ne conserver que le liquide. Faites refroidir le bouillon au réfrigérateur pendant quelques heures puis dégraissez-le.

sans :

œuf

lait

soya

arachide

noix

graine de sésame

blé

poisson

mollusques

crustacés

poulet

Bouillon de poulet

Préparation : 20 min   Cuisson : 2 h   Repos : 2 h ou plus   Quantité : 1¼ l (5 tasses)

Si utile que vous voudrez toujours en avoir en réserve !

**1 oignon
1 poireau
1 carotte
1 kg (2¼ lb) de carcasse de poulet ou 3 cuisses de poulet
sans la peau
2½ l (10 tasses) d'eau
5 ml (1 c. à thé) de thym séché
15 ml (1 c. à soupe) de persil frais haché
5 ml (1 c. à thé) de sarriette séchée
sel et poivre**

1 Épluchez et hachez l'oignon. Coupez le poireau (parties blanche et vert pâle seulement) et la carotte en rondelles. Réservez.

2 Déposez les carcasses ou les cuisses de poulet dans une grande casserole. Si vous utilisez des carcasses, concassez au préalable les os. S'il s'agit de cuisses, défaites d'abord les articulations.

3 Incorporez les morceaux d'oignon, de poireau et de carotte. Versez l'eau sur le tout. Assurez-vous que les ingrédients soient complètement immergés (rajoutez de l'eau au besoin). Ajoutez le thym, le persil, la sarriette, le sel et le poivre.

4 Portez à ébullition. Réduisez le feu et laissez mijoter doucement et à découvert pendant 2 heures en écumant de temps à autre.

5 Filtrez le bouillon à l'aide d'une passoire fine (chinois) afin de ne conserver que le liquide. Faites refroidir le bouillon au réfrigérateur pendant quelques heures puis dégraissez-le.

sans :

œuf

lait

soya

arachide

noix

graine de sésame

blé

poisson

mollusques

crustacés

bœuf

Bouillon de porc

Préparation : 10 min   Cuisson : 2 h   Repos : 2 h ou plus   Quantité : 1 l (4 tasses)

Voici une alternative fort convenable si vous devez proscrire bœuf et poulet.

**1 oignon
1 poireau
1 kg (2¼ lb) d'os à moelle de porc
2½ l (10 tasses) d'eau
2 ml (½ c. à thé) de thym séché
1 ml (¼ c. à thé) de marjolaine moulue
1 feuille de laurier
sel et poivre**

1 Épluchez et hachez l'oignon. Coupez le poireau (parties blanche et vert pâle seulement) en rondelles. Réservez.

2 Mettez, dans une grande casserole, les os et les morceaux de légumes. Versez l'eau (en en rajoutant, au besoin, de façon à ce qu'elle recouvre complètement les autres ingrédients). Ajoutez le thym, la marjolaine, la feuille de laurier, le sel et le poivre.

3 Portez à ébullition. Réduisez le feu et laissez mijoter doucement et à découvert pendant 2 heures en écumant de temps à autre.

4 Filtrez le bouillon à l'aide d'une passoire fine (chinois) afin de ne conserver que le liquide. Faites refroidir le bouillon au réfrigérateur pendant quelques heures puis dégraissez-le.

Bouillon d'agneau

Préparation : 15 min   Cuisson : 2 h 5   Repos : 2 h ou plus   Quantité : 1½ l (6 tasses)

Un autre bouillon…

1 kg (2¼ lb) d'os et de parures d'agneau
1 oignon
1 carotte
1 gousse d'ail
2½ l (10 tasses) d'eau
5 ml (1 c. à thé) de romarin séché
sel et poivre

1   Préchauffez le four à 200 ºC (400 ºF).

2   Faites colorer les os et les parures en les déposant sur une plaque à revête-ment antiadhésif (sans aucun corps gras) puis en mettant le tout au four pendant une trentaine de minutes.

3   Épluchez et hachez l'oignon. Coupez la carotte en rondelles. Réservez.

4   Retirez la plaque du four pour y déposer les morceaux d'oignon et de carotte. Remettez la plaque au four pour une période additionnelle de 5 minutes.

5   Transférez les morceaux de légumes, les os et les parures (avec le moins de graisse possible) dans une grande casserole. Incorporez la gousse d'ail après l'avoir épluchée et écrasée. Versez l'eau. Ajoutez le romarin, le sel et le poivre. Assurez-vous que les ingrédients soient complètement immergés (rajoutez de l'eau au besoin).

6   Portez à ébullition. Réduisez le feu et laissez mijoter doucement et à décou-vert pendant 1 heure 30 minutes.

7   Filtrez le bouillon à l'aide d'une passoire fine (chinois) afin de ne conserver que le liquide. Faites refroidir le bouillon au réfrigérateur pendant quelques heures puis dégraissez-le.

sans :

œuf

lait

soya

arachide

noix

graine de sésame

blé

poisson

mollusques

crustacés

bœuf

poulet

Bouillon de légumes

Préparation : 15 min	Cuisson : 45 min	Quantité : 750 ml (3 tasses)

Si vous le souhaitez, vous pouvez ajouter à cette préparation les légumes suivants : navet, céleri, panais, tomate, etc.

2 oignons
2 poireaux
2 carottes
30 ml (2 c. à soupe) de persil frais haché
1½ l (6 tasses) d'eau
sel et poivre

1 Épluchez et hachez les oignons. Coupez en rondelles les poireaux (parties blanche et vert pâle seulement) et les carottes. Mettez les morceaux de légumes dans une grande casserole et ajoutez le persil. Versez l'eau. Salez et poivrez.

2 Portez à ébullition. Laissez mijoter à feu doux et à découvert pendant 45 minutes.

3 Filtrez le bouillon à l'aide d'une passoire fine (chinois) sans écraser les légumes.

Fond de veau

Préparation : 20 min   Cuisson : 2 h 35   Repos : 2 h ou plus   Quantité : 1 l (4 tasses)

Ce fond peut servir de base à une multitude de délicieuses préparations.
Voyez, à titre d'exemple, la recette de bouillon à fondue chinoise (p. 153).

1 kg (2¼ lb) d'os et de parures de veau
1 poireau
2 carottes
2 oignons
2 tomates
45 ml (3 c. à soupe) de pâte de tomates
(sans assaisonnements)
2½ l (10 tasses) d'eau
5 ml (1 c. à thé) de thym séché
5 ml (1 c. à thé) d'origan séché
2 feuilles de laurier
sel et poivre

1 Préchauffez le four à 200 ºC (400 ºF).

2 Faites colorer les os et les parures en les déposant sur une plaque à revêtement antiadhésif (sans aucun corps gras) puis en mettant le tout au four pendant une trentaine de minutes.

3 Tranchez le poireau (parties blanche et vert pâle seulement) et les carottes en rondelles. Épluchez puis coupez les oignons en dés. Réservez.

4 Retirez la plaque du four pour y déposer les rondelles de poireau et de carottes ainsi que les morceaux d'oignons. Remettez la plaque au four pour une période additionnelle de 5 minutes.

5 Transférez les morceaux de légumes, les parures et les os (avec le moins de graisse possible) dans une grande casserole. Incorporez les tomates (préalablement coupées en dés) et la pâte de tomates. Versez l'eau. Ajoutez le thym, l'origan, les feuilles de laurier, le sel et le poivre. Assurez-vous que les ingrédients soient complètement immergés (rajoutez de l'eau au besoin).

6 Portez à ébullition. Réduisez le feu et laissez mijoter doucement et à découvert pendant 2 heures en écumant de temps à autre.

7 Filtrez le fond à l'aide d'une passoire fine (chinois) afin de ne conserver que le liquide. Faites refroidir le fond au réfrigérateur pendant quelques heures puis dégraissez-le.

sans :

œuf

lait

soya

arachide

noix

graine de sésame

blé

poisson

mollusques

crustacés

poulet

sans :

œuf

lait

arachide

noix

graine de sésame

poisson

mollusques

crustacés

bœuf

poulet

Sauce béchamel

Préparation : 10 min	Cuisson : 20 min	Quantité : 500 ml (2 tasses)

Nous utilisons notamment cette sauce dans les lasagnes sans fromage (p. 185) et les farfalle au thon (p. 190).

> **60 ml (4 c. à soupe) d'huile de canola**
> **60 ml (4 c. à soupe) de farine de blé**
> **250 ml (1 tasse) de boisson de soya permise**
> **250 ml (1 tasse) d'eau**

1 Dans une casserole, faites chauffer l'huile de canola à feu vif (1 minute devrait suffire). Retirez du feu et incorporez la farine. Mélangez bien avec un fouet.

2 Versez le mélange de boisson de soya et d'eau en une seule fois puis faites cuire à feu moyen en remuant presque continuellement jusqu'à la consistance souhaitée (environ 15 minutes).

Variante sans soya : nous remplaçons parfois la boisson de soya par un volume équivalent de boisson de riz.

Sauce tomate

Préparation : 10 min	Cuisson : 25 min	Quantité : 2 l (8 tasses)

Une petite sauce assez simple qui peut servir de base pour une préparation plus élaborée.

1 gousse d'ail
1 oignon
30 ml (2 c. à soupe) d'huile d'olive
1625 ml (6½ tasses) de tomates en conserve coupées en dés (sans assaisonnements)
60 ml (4 c. à soupe) de pâte de tomates (sans assaisonnements)
500 ml (2 tasses) de bouillon de légumes (p. 91)
5 ml (1 c. à thé) d'origan séché
2 ml (½ c. à thé) de basilic séché
1 feuille de laurier
sel et poivre

1 Épluchez et hachez la gousse d'ail et l'oignon.

2 Faites chauffer l'huile d'olive dans une casserole à feu moyen-vif. Faites-y revenir les morceaux d'ail et d'oignon jusqu'à ce qu'ils soient translucides (environ 3 minutes).

3 Incorporez les tomates coupées en dés, la pâte de tomates, le bouillon de légumes, l'origan, le basilic, la feuille de laurier, le sel et le poivre. Mélangez. Portez à ébullition. Réduisez le feu puis laissez mijoter à découvert pendant 20 minutes.

4 Retirez la feuille de laurier. Passez la sauce au mélangeur de table (ou au robot culinaire) jusqu'à ce qu'elle soit homogène.

sans :

œuf

lait

soya

arachide

noix

graine de sésame

blé

poisson

mollusques

crustacés

bœuf

poulet

Trempettes, salades simples ou composées et légumes diversement apprêtés… voici de quoi éveiller les papilles gustatives sans alourdir l'estomac. Un
petit apéro avec cela ?

Tzatziki au tofu

sans :

œuf

lait

arachide

noix

graine de sésame

blé

poisson

mollusques

crustacés

bœuf

poulet

| Préparation : 10 min | Cuisson : aucune | Repos : 1 h | Quantité : 625 ml (2$\frac{1}{2}$ tasses) |

Tout indiqué pour la saison estivale, le tzatziki au tofu peut être servi en trempette avec des crudités ou versé sur des asperges refroidies en guise d'entrée. D'autres suggestions? Utilisez-le pour assaisonner vos salades ou pour garnir vos souvlakis pitas. Si votre régime vous le permet, vous pouvez même napper de tzatziki un pavé de saumon froid reposant sur un lit de laitue. Franchement délicieux!

> **2 gousses d'ail**
> **1 concombre**
> **375 ml (1$\frac{1}{2}$ tasse) de tofu mou à texture fine**
> **45 ml (3 c. à soupe) de jus de citron**
> **30 ml (2 c. à soupe) de ciboulette fraîche hachée**
> **15 ml (1 c. à soupe) de menthe fraîche hachée**
> **sel et poivre**

1 Épluchez et hachez les gousses d'ail. Tranchez le concombre en deux dans le sens de la longueur, épépinez puis coupez grossièrement. Il n'est pas nécessaire de peler le concombre (à moins qu'il ne soit enduit de cire).

2 Mélangez au robot culinaire tous les ingrédients jusqu'à ce que la sauce prenne une consistance crémeuse. Vous en aurez pour 15 à 30 secondes tout au plus. Idéalement, le mélange devrait être parsemé de petits morceaux de concombre bien croquants.

3 Rectifiez l'assaisonnement. Réfrigérez au moins 1 heure avant de servir.

Truc: pour un tzatziki prêt à servir, placez le tofu au réfrigérateur quelques heures avant la préparation.

Douce salsa

Préparation : 15 min   Cuisson : 25 min   Repos : 1 h   Quantité : 1¼ l (5 tasses)

Pour servir avec des croustilles (de pommes de terre ou de maïs), des croûtons de pain, etc.

1 petit oignon
1 gousse d'ail
1 poivron vert
1 petit piment Jalapeño
1 ciboule
15 ml (1 c. à soupe) d'huile d'olive
810 ml (3¼ tasses) de tomates en conserve coupées en dés (sans assaisonnements)
160 ml (⅔ tasse) de pâte de tomates (sans assaisonnements)
30 ml (2 c. à soupe) de vinaigre de vin à l'estragon
5 ml (1 c. à thé) de coriandre fraîche hachée
5 ml (1 c. à thé) d'estragon séché
sel et poivre

1   Épluchez et hachez l'oignon et la gousse d'ail. Coupez le poivron vert et le piment Jalapeño en dés. Tranchez la ciboule.

2   Faites chauffer l'huile d'olive dans une casserole à feu moyen-vif. Faites-y revenir les morceaux d'ail et d'oignon jusqu'à ce qu'ils soient translucides (environ 3 minutes).

3   Incorporez les autres ingrédients dans la casserole. Mélangez. Portez à ébullition. Réduisez le feu et laissez mijoter à découvert pendant environ 20 minutes.

4   Laissez refroidir la préparation pendant au moins 1 heure puis rectifiez l'assaisonnement.

Variante piquante : vous préférez votre salsa plus piquante que douce ? Rajoutez 1 ou 2 piments Jalapeño !

sans :

œuf

lait

soya

arachide

noix

graine de sésame

blé

poisson

mollusques

crustacés

bœuf

poulet

Bruschetta

Préparation : 20 min	Cuisson : moins de 5 min	Quantité : 4 portions

L'Italie sur un croûton de pain…

4 tomates italiennes
4 tomates séchées
2 gousses d'ail
15 ml (1 c. à soupe) d'huile d'olive
10 ml (2 c. à thé) de jus de citron
15 ml (1 c. à soupe) de basilic frais haché
10 ml (2 c. à thé) de ciboulette fraîche hachée
1 ml (¼ c. à thé) de thym frais haché
3 tranches de pain de blé (p. 207)
sel et poivre
quelques feuilles de basilic pourpre frais (facultatif)

1 Épépinez les tomates (voir le truc n° 1 plus bas) puis taillez-les en petits dés. Coupez les tomates séchées en petits morceaux après les avoir réhydratées, si nécessaire (voir le truc n° 2). Épluchez les gousses d'ail. Hachez finement l'une des gousses et réservez l'autre.

2 Mélangez dans un bol tous les ingrédients, à l'exception de la gousse d'ail entière et des feuilles de basilic pourpre. Rectifiez l'assaisonnement.

3 Faites légèrement griller (au four ou au grille-pain) les tranches de pain. Frottez chaque tranche avec la gousse d'ail entière (vous verrez, celle-ci se mettra littéralement à fondre). Coupez chacune des tranches de façon à obtenir 4 triangles.

4 Faites égoutter un peu la préparation de tomates (pour éviter d'y noyer le pain) puis garnissez-en chaque triangle.

5 Disposez artistiquement de petits morceaux de basilic pourpre sur le tout et servez immédiatement.

Truc n° 1 : pour épépiner les tomates italiennes, coupez-les en deux dans le sens de la longueur, placez une moitié de tomate dans la paume de votre main (partie bombée de la tomate contre la paume) puis pressez afin que le jus et les graines s'écoulent (en ayant pris soin de vous placer au-dessus d'un bol !). Répétez l'opération pour chaque demi-tomate.

Truc n° 2 : pour réhydrater des tomates séchées non conservées dans l'huile, il suffit de les immerger dans un bol rempli d'eau bouillante. Couvrez le bol et laissez reposer environ 20 minutes. Épongez ensuite les tomates.

Guacamole

Préparation : 20 min	Cuisson : aucune	Quantité : 6 portions

D'origine indienne, ce plat est traditionnellement préparé avec de la crème fraîche. La version que nous vous proposons en est, bien sûr, exempte.

Le guacamole est délicieux accompagné de crudités ou de croustilles de maïs.

1 gousse d'ail
¼ poivron rouge
2 ciboules
3 avocats bien mûrs
60 ml (4 c. à soupe) de jus de citron
15 ml (1 c. à soupe) d'huile d'olive
15 ml (1 c. à soupe) de coriandre fraîche hachée
sel et poivre

1 Épluchez et hachez la gousse d'ail. Coupez le poivron rouge en tout petits dés. Taillez les ciboules en rondelles très minces.

2 Coupez les avocats en deux, dans le sens de la longueur. Retirez les noyaux puis prélevez la pulpe avec une cuillère. Dans un bol, réduisez la pulpe en purée à l'aide d'une fourchette.

3 Incorporez les autres ingrédients. Mélangez soigneusement à l'aide d'une fourchette. Rectifiez l'assaisonnement.

4 Placez au réfrigérateur dans un contenant scellé hermétiquement (afin d'éviter que le guacamole noircisse) jusqu'au moment de servir.

sans :

œuf

lait

soya

arachide

noix

graine de sésame

blé

poisson

mollusques

crustacés

bœuf

poulet

Caponata

Préparation : 35 min   Cuisson : 35 min   Repos : 2 h ou plus   Quantité : 8 portions

Servie froide en guise de hors-d'œuvre, cette caponata est toujours accueillie avec enthousiasme par nos invités. Il s'agit, au surplus, d'un plat virtuellement impossible à rater (juré !). Prévoyez simplement suffisamment de temps pour la laisser refroidir complètement au réfrigérateur avant de la déguster.

3 tomates fermes
8 cœurs d'artichauts en conserve
4 carottes
1 poivron vert
1 poivron rouge
16 champignons
60 ml (4 c. à soupe) d'huile d'olive
2 gousses d'ail
5 ml (1 c. à thé) d'origan séché
5 ml (1 c. à thé) d'estragon séché
2 ml (½ c. à thé) de basilic séché
250 ml (1 tasse) de bouillon de poulet (p. 88)
sel et poivre

1 Préchauffez le four à 180 ºC (350 ºF).

2 Coupez les tomates en quartiers et les cœurs d'artichauts en deux. Taillez ensuite les carottes en rondelles très épaisses puis découpez les poivrons en larges carrés. Laissez les champignons entiers.

3 Mettez, dans un grand bol, les morceaux de tomates, de carottes et de poivrons de même que les champignons. Ajoutez 30 ml (2 c. à soupe) d'huile d'olive. Mélangez délicatement de façon à bien enrober d'huile les légumes.

4 Faites chauffer l'huile restante dans une casserole. Ajoutez les gousses d'ail (après les avoir épluchées et hachées). Faites saisir à feu moyen pendant environ 2 minutes. Versez ensuite le bouillon de poulet et poursuivez la cuisson environ 3 minutes. Réservez.

5 Disposez les légumes (y compris les cœurs d'artichauts) en rangées successives dans un grand plat à rôtir. Versez sur les légumes le liquide encore chaud. Salez, poivrez puis saupoudrez d'origan, d'estragon et de basilic. Utilisez une feuille de papier d'aluminium pour couvrir le plat puis mettez au four pendant 30 minutes.

Caponata (suite)

6 Retirez du four. Après avoir soulevé un coin de la feuille de papier d'aluminium pour permettre à la vapeur de s'échapper, placez le plat au réfrigérateur. Laissez refroidir pendant au moins 2 heures.

7 Au moment de servir, disposez les légumes dans un plat de service en alternant les couleurs et les textures pour créer un effet intéressant. Rectifiez l'assaisonnement.

Variante sans poulet : remplacez le bouillon de poulet par un bouillon de légumes (p. 91).

Poireaux vinaigrette de grand-maman Pierrette

sans :

œuf

lait

soya

arachide

noix

graine de sésame

blé

poisson

mollusques

crustacés

bœuf

poulet

Préparation : 10 min   Cuisson : 10 min   Repos : 10 min   Quantité : 6 portions

L'un des classiques de grand-maman !

3 poireaux
30 ml (2 c. à soupe) d'huile d'olive
15 ml (1 c. à soupe) de vinaigre de vin
15 ml (1 c. à soupe) de jus de citron
quelques feuilles de laitue
6 tomates cerises
sel et poivre

1 Émincez les poireaux (partie blanche seulement) dans le sens de la longueur.

2 Faites cuire les lanières de poireaux dans une casserole d'eau bouillante légèrement salée pendant 8 minutes. Retirez les lanières de l'eau, égouttez-les puis épongez-les légèrement avec un linge propre. Réfrigérez jusqu'à ce que les poireaux soient à la température de la pièce (environ 10 minutes).

3 Mettez dans un petit bol l'huile d'olive, le vinaigre de vin, le jus de citron, le sel et le poivre et mélangez.

4 Disposez une grande feuille de laitue dans chacune des assiettes. Déposez-y quelques lanières de poireaux et une tomate cerise coupée en deux. Versez la vinaigrette sur le tout et servez immédiatement.

Avocats pamplemousses

Préparation : 30 min	Cuisson : aucune	Quantité : 6 portions

Le basilic et les framboises ne sont pas absolument essentiels. Mais c'est bien plus joli avec !

**2 pamplemousses roses
3 avocats bien mûrs
15 ml (1 c. à soupe) de jus de citron
quelques feuilles de laitue
30 ml (2 c. à soupe) d'huile d'olive
30 ml (2 c. à soupe) de vinaigre de vin à la framboise
quelques feuilles de basilic frais
quelques framboises fraîches ou décongelées
sel et poivre**

1 Pelez les pamplemousses puis séparez-les en quartiers. À l'aide d'un petit couteau, enlevez la peau qui recouvre chaque quartier.

2 Coupez les avocats en deux dans le sens de la longueur. Retirez les noyaux puis enlevez l'écorce. Tranchez chaque demi-avocat en 3 ou 4. Mettez les tranches d'avocats dans un bol et arrosez-les de jus de citron pour éviter qu'elles noircissent.

3 Tapissez chaque assiette d'une feuille de laitue. Disposez, en alternance, les tranches d'avocats et les quartiers de pamplemousses de façon à former un cercle.

4 Mélangez, dans un petit bol, l'huile d'olive, le vinaigre de vin, le sel et le poivre. Versez cette vinaigrette sur le contenu de chacune des assiettes.

5 Déposez, au centre de chaque assiette, 1 ou 2 feuilles de basilic et quelques framboises. Servez immédiatement.

Truc : plutôt que de préparer les pamplemousses de la façon décrite à l'étape 1, coupez ces derniers en deux puis détachez les quartiers avec un couteau. Il ne vous reste plus qu'à extraire les quartiers avec une cuillère. Sans doute un peu moins esthétique mais beaucoup plus rapide !

sans :

œuf

lait

soya

arachide

noix

graine de sésame

blé

poisson

mollusques

crustacés

bœuf

poulet

Bouquet de cresson et de clémentines

Préparation : 15 min	Cuisson : aucune	Quantité : 6 portions

Si vous en avez sous la main, utilisez, pour cette recette, de l'huile de canola biologique, première pression à froid. Celle-ci est plus dense que l'huile de canola ordinaire et sa couleur est plus prononcée. Son goût floral fait vraiment une différence !

2 bottes de cresson
4 clémentines
30 ml (2 c. à soupe) de haricots de soya rôtis
45 ml (3 c. à soupe) d'huile de canola
45 ml (3 c. à soupe) de jus de citron
15 ml (1 c. à soupe) de vinaigre de vin
15 ml (1 c. à soupe) de jus d'orange
sel et poivre

1 Mettez le cresson dans un récipient rempli d'eau fraîche. Secouez-le doucement pour éliminer toute trace de terre. Essorez brièvement le cresson puis répartissez-le dans les assiettes.

2 Pelez les clémentines puis défaites-les en quartiers. Coupez chaque quartier en 2 ou 3 morceaux. Répartissez les morceaux de clémentines dans les assiettes en les disposant sur le cresson. Parsemez ensuite de haricots de soya rôtis.

3 Dans un petit bol, mélangez l'huile de canola, le jus de citron, le vinaigre de vin, le jus d'orange, le sel et le poivre. Versez cette vinaigrette sur le contenu de chacune des assiettes et servez.

Variante aux oranges : remplacez les 4 clémentines par 2 oranges.

---

sans :

œuf

lait

arachide

noix

graine de sésame

blé

poisson

mollusques

crustacés

bœuf

poulet

Champignons de tante Alice

| Préparation : 15 min | Cuisson : aucune | Quantité : 6 portions |

Une petite entrée sans prétention, délicieuse et vite préparée !

2 ciboules
12 tiges de ciboulette fraîche
24 champignons blancs
60 ml (4 c. à soupe) d'huile d'olive
75 ml (5 c. à soupe) de jus de citron
jeunes feuilles d'épinards
1 tomate
quelques olives kalamata
sel et poivre

1 Hachez les ciboules et les tiges de ciboulette. Tranchez les champignons en fines lamelles. Déposez le tout dans un grand bol.

2 Mettez l'huile d'olive, le jus de citron, le sel et le poivre dans un petit bol et mélangez.

3 Versez la vinaigrette sur le mélange de champignons. Mélangez délicatement jusqu'à ce que les légumes soient complètement enrobés de vinaigrette. Rectifiez l'assaisonnement.

4 Déposez les champignons de tante Alice sur un lit de feuilles d'épinards, ajoutez un quartier de tomate et quelques olives kalamata. Servez immédiatement.

sans :

œuf

lait

soya

arachide

noix

graine de sésame

blé

poisson

mollusques

crustacés

bœuf

poulet

Mesclun aux foies de volaille tièdes

Préparation : 20 min	Cuisson : 10 min	Quantité : 4 portions

Le mesclun est un mélange de jeunes feuilles : chicorée, mâche, roquette, laitue, etc. Vous pouvez le préparer vous-même ou l'acheter, prêt à servir, au supermarché.

400 g (14 oz) de foies de poulet
15 ml (1 c. à soupe) d'huile d'olive
10 ml (2 c. à thé) de vinaigre balsamique
250 g (9 oz) de mesclun
30 ml (2 c. à soupe) d'huile de canola
15 ml (1 c. à soupe) de jus de citron
4 tomates cerises
sel et poivre

1 Parez les foies de poulet en retirant la partie jaunâtre qui relie les lobes.

2 Dans une poêle, faites chauffer l'huile d'olive à feu vif. Ajoutez les foies et faites cuire pendant 3 minutes en remuant de temps à autre.

3 Réduisez à feu moyen-vif puis versez le vinaigre balsamique. Poursuivez la cuisson pendant 3 à 4 minutes. Salez et poivrez. Réservez

4 Garnissez de mesclun chacune des assiettes. Disposez les foies sur le dessus.

5 Dans un petit bol, mélangez l'huile de canola et le jus de citron. Versez cette vinaigrette sur le contenu de chacune des assiettes. Décorez le tout d'une tomate cerise. Servez immédiatement.

sans :

œuf

lait

soya

arachide

noix

graine de sésame

blé

poisson

mollusques

crustacés

bœuf

Réussir un potage dont la douceur n'a d'égale que l'onctuosité ? Pffffft ! L'enfance de l'art ! On y incorpore un peu de crème et voilà tout ! Et si l'on est allergique aux produits laitiers ? Facile aussi ! Voyez plutôt les quelques recettes qui suivent, simplement délicieuses, restrictions alimentaires ou pas !

SOUPES ET POTAGES

Soupe aux légumes

Préparation : 15 min	Cuisson : 40 min	Quantité : 2¼ l (9 tasses)

Elle vous réchauffera aussi le cœur...

1 oignon
3 carottes
2 pommes de terre
1 poireau
15 ml (1 c. à soupe) d'huile d'olive
500 ml (2 tasses) de bouillon d'agneau (p. 90)
810 ml (3¼ tasses) de tomates en conserve coupées en dés (sans assaisonnements)
500 ml (2 tasses) d'eau
185 ml (¾ tasse) de maïs en grains
125 ml (½ tasse) de pâtes de blé à soupe (coquilles ou autres)
15 ml (1 c. à soupe) de persil frais haché
2 ml (½ c. à thé) de thym séché
sel et poivre

1   Épluchez l'oignon, les carottes et les pommes de terre. Hachez l'oignon. Coupez les pommes de terre en dés. Coupez les carottes et le poireau (parties blanche et vert pâle seulement) en rondelles.

2   Faites chauffer l'huile d'olive dans une grande casserole à feu moyen-vif. Faites-y revenir, pendant environ 3 minutes, les morceaux d'oignon et de poireau. Incorporez les morceaux de carottes et de pommes de terre. Poursuivez la cuisson pendant 3 minutes.

3   Ajoutez le bouillon d'agneau, les tomates et l'eau. Salez et poivrez. Portez à ébullition. Réduisez le feu et laissez mijoter, en couvrant à moitié, pendant 20 minutes.

4   Ajoutez le maïs, les pâtes, le persil et le thym. Poursuivez la cuisson jusqu'à ce que les pâtes soient cuites (environ 10 minutes). Rectifiez l'assaisonnement.

ŒUF : les pâtes de blé fraîches, tout comme certaines pâtes de blé sèches, peuvent contenir des œufs. Comme toujours, une lecture attentive de la liste des ingrédients s'impose !

Variante sans blé : vous pouvez éliminer les pâtes ou les remplacer par du riz en incorporant celui-ci en même temps que le liquide (étape 3 de la recette).

sans :

œuf

lait

soya

arachide

noix

graine de sésame

poisson

mollusques

crustacés

bœuf

poulet

Crème de tomate

| Préparation : 5 min | Cuisson : 20 min | Quantité : 1 l (4 tasses) |

Ce sont les champignons qui donnent à cette crème tout son velouté.

1 oignon
12 champignons
persil frais
15 ml (1 c. à soupe) d'huile d'olive
810 ml (3¼ tasses) de tomates en conserve coupées en dés
(sans assaisonnements)
2 ml (½ c. à thé) de basilic séché
1 ml (¼ c. à thé) d'origan séché
1 ml (¼ c. à thé) de sucre
sel et poivre

1 Épluchez et hachez l'oignon. Émincez les champignons. Hachez le persil.

2 Faites chauffer l'huile d'olive dans une casserole à feu moyen-vif. Faites-y revenir les morceaux d'oignon jusqu'à ce qu'ils soient translucides (environ 3 minutes).

3 Ajoutez les morceaux de champignons et de tomates de même que le basilic, l'origan et le sucre. Salez et poivrez. Portez à ébullition. Réduisez le feu et laissez mijoter pendant 15 minutes en couvrant à moitié.

4 Passez la préparation au mélangeur de table ou au robot culinaire jusqu'à ce qu'elle soit homogène. Rectifiez l'assaisonnement. Saupoudrez de persil haché juste avant de servir.

Variante avec soya : pour obtenir une crème de tomate onctueuse sans champignons, remplacez ceux-ci par 185 ml (¾ tasse) de tofu mou à texture fine. Il s'agit d'incorporer le tofu au moment de passer la préparation au mélangeur ou au robot (étape 4 de la recette) puis de réchauffer la crème (sans toutefois la faire bouillir) avant de servir.

sans :

œuf

lait

soya

arachide

noix

graine de sésame

blé

poisson

mollusques

crustacés

bœuf

poulet

Chaudrée de maïs

sans :

œuf

lait

soya

arachide

noix

graine de sésame

blé

poisson

mollusques

crustacés

bœuf

poulet

Préparation : 15 min　　　Cuisson : 20 min　　　Quantité : 1¼ l (5 tasses)

Un savoureux potage rebaptisé chaudron de maïs par notre petit bonhomme !

**50 g (1¾ oz) de lard salé
1 oignon
1 patate douce
375 ml (1½ tasse) de bouillon de porc (p. 89)
125 ml (½ tasse) d'eau
750 ml (3 tasses) de maïs en grains
1 ml (¼ c. à thé) de sarriette séchée
1 ml (¼ c. à thé) de curcuma moulu
poivre**

1 Coupez le lard en petits dés (la graisse uniquement, pas la couenne). Épluchez et hachez l'oignon. Épluchez et coupez en dés la patate douce.

2 Dans une casserole, faites fondre les dés de lard à feu moyen pendant environ 3 minutes. Ajoutez les morceaux d'oignon et faites cuire pendant encore 3 minutes.

3 Incorporez le bouillon de porc, l'eau, les morceaux de patate douce, le maïs en grains, la sarriette, le curcuma et le poivre. Le lard étant salé, il est inutile d'ajouter du sel à cette étape.

4 Portez à ébullition. Réduisez le feu et laissez mijoter pendant 10 minutes en couvrant à moitié. Brassez de temps à autre.

5 Assurez-vous que les morceaux de patate douce sont cuits en les piquant avec une fourchette (sinon poursuivez la cuisson quelques minutes). Passez la préparation au mélangeur de table ou au robot culinaire pendant environ 1 minute. Rectifiez l'assaisonnement.

Potage à la citrouille

Préparation : 15 min	Cuisson : 20 min	Quantité : 1½ l (6 tasses)

Notre potage à la citrouille est un proche parent du « potage de courge » de l'arrière grand-maman Irma. Merveilleusement onctueux, il ne contient pourtant ni produit laitier ni tofu. Sans contredit, l'un de nos potages préférés !

1 oignon
3 poireaux
60 ml (4 c. à soupe) d'huile d'olive
30 ml (2 c. à soupe) de farine de blé
750 ml (3 tasses) de bouillon de bœuf (p. 87)
500 ml (2 tasses) de purée de citrouille
3 ml (¾ c. à thé) de curcuma moulu
sel et poivre

1 Épluchez et hachez l'oignon. Coupez les poireaux en rondelles (parties blanche et vert pâle seulement). Faites chauffer l'huile d'olive dans une grande casserole à feu moyen. Faites-y revenir, pendant 5 minutes, les morceaux d'oignon et de poireaux.

2 Retirez du feu, le temps d'ajouter la farine et de bien mélanger.

3 Ajoutez le bouillon de bœuf, la purée de citrouille, le curcuma, le sel et le poivre. Portez à ébullition. Réduisez le feu et laissez mijoter pendant 15 minutes.

4 Passez la préparation au mélangeur de table ou au robot culinaire jusqu'à ce qu'elle soit homogène. Rectifiez l'assaisonnement.

Truc nº 1 : votre réserve de bouillon est à sec ? Remplacez celui-ci par 2 os à moelle de bœuf et 1 l (4 tasses) d'eau, laissez mijoter à feu doux pendant 1 heure environ (plutôt que 15 minutes) puis retirez les os.

Truc nº 2 : il est possible de se procurer la purée de citrouille au supermarché, dans le rayon des boîtes de conserve. Nous préférons, pour notre part, préparer notre propre purée en saison et la congeler. Cela n'a rien de bien sorcier ! Préchauffez d'abord le four à 180 ºC (350 ºF). Nettoyez l'extérieur de la citrouille puis, avec un couteau bien coupant, faites-y quelques entailles. Mettez la citrouille au four après l'avoir déposée sur une plaque à pâtisserie. Faites cuire entre 45 minutes et 1 heure (selon la grosseur de la citrouille). Laissez ensuite refroidir à la température de la pièce. À l'aide d'un couteau, retirez le dessus de la citrouille (calotte), enlevez les graines puis

sans :

œuf

lait

soya

arachide

noix

graine de sésame

poisson

mollusques

crustacés

poulet

Potage à la citrouille (suite)

coupez la citrouille en quartiers. Prélevez alors la chair avec une grosse cuillère en métal et passez-la au robot culinaire pour en faire une belle purée, à congeler par portion.

Variante sans bœuf et sans poulet : le bouillon de bœuf peut être remplacé par un bouillon de légumes (p. 91).

Variante sans blé : vous pouvez remplacer la farine de blé par de la fécule de maïs, voire simplement l'omettre (le potage sera moins épais, voilà tout !).

Variante aux tomates : l'ajout de 375 ml (1½ tasse) de tomates en dés à la préparation donne à celle-ci un goût légèrement acidulé.

Borchtch

| Préparation : 30 min | Cuisson : 1 h | Quantité : 1¾ l (7 tasses) |

Pour qui aime les betteraves, un potage exquis et d'une couleur vraiment superbe !

900 g (2 lb) de betteraves
1 oignon
1 poireau
45 ml (3 c. à soupe) d'huile d'olive
2 pommes
1 poivron rouge
12 champignons
500 ml (2 tasses) de bouillon de bœuf (p. 87)
500 ml (2 tasses) d'eau
30 ml (2 c. à soupe) de jus de citron
1 feuille de laurier
2 ml (½ c. à thé) de thym séché
persil frais haché
sel et poivre

1 Pelez puis coupez les betteraves en dés (environ 1 l / 4 tasses). Épluchez et hachez l'oignon. Coupez le poireau (parties blanche et vert pâle seulement) en rondelles.

2 Faites chauffer 30 ml (2 c. à soupe) d'huile d'olive dans une grande casserole à feu moyen. Faites-y revenir, pendant environ 10 minutes, les morceaux de betteraves, d'oignon et de poireau. Remuez de temps à autre.

3 Épluchez les pommes. Coupez les pommes et le poivron en dés. Tranchez les champignons en lamelles.

4 Versez 15 ml (1 c. à soupe) d'huile d'olive dans la casserole. Incorporez les morceaux de pommes, de poivron et de champignons. Couvrez et poursuivez la cuisson pendant 5 minutes. Brassez à l'occasion.

5 Versez le bouillon de bœuf, l'eau et le jus de citron. Ajoutez la feuille de laurier et le thym. Salez et poivrez. Portez à ébullition. Réduisez le feu et laissez mijoter, en couvrant à moitié, pendant 45 minutes.

6 Retirez la feuille de laurier. Filtrez la préparation à l'aide d'une passoire fine (chinois). Réservez le liquide. Réduisez les morceaux de légumes en purée à l'aide d'un mélangeur de table ou d'un robot culinaire.

sans :

œuf

lait

soya

arachide

noix

graine de sésame

blé

poisson

mollusques

crustacés

poulet

Borchtch (suite)

7 Dans un bol, mélangez le liquide réservé ainsi que la purée de légumes. Rectifiez l'assaisonnement puis saupoudrez de persil haché.

Variante avec produits laitiers : le borchtch est traditionnellement servi avec un filet de crème aigre (crème sure). Si les produits laitiers font partie de votre répertoire culinaire, vous pouvez, au moment de servir, déposer à la surface du borchtch une cuillerée de crème aigre et créer un effet de spirale à l'aide d'une fourchette.

Variante avec soya : pour remplacer la crème aigre, passez au mélangeur à main 125 ml ($1/2$ tasse) de tofu mou à texture fine et 30 ml (2 c. à soupe) de jus de citron.

Gaspacho

Préparation : 15 min   Cuisson : aucune   Repos : 1 h ou plus   Quantité : 1¾ l (7 tasses)

Le gaspacho est un potage froid d'origine espagnole. La tradition veut que l'on y incorpore de la mie de pain. Nous préférons le nôtre sans… ce qui, bien sûr, ne vous empêche aucunement d'en ajouter si vous le désirez !

1 concombre
1 poivron vert
1 poivron rouge
810 ml (3¼ tasses) de tomates en conserve coupées en dés
(sans assaisonnements)
90 ml (6 c. à soupe) de jus de citron
60 ml (4 c. à soupe) d'huile d'olive
30 ml (2 c. à soupe) de vinaigre de vin
15 ml (1 c. à soupe) de ciboulette fraîche hachée
sel et poivre

1   Tranchez le concombre en deux dans le sens de la longueur puis épépinez-le. Il n'est pas nécessaire de le peler (à moins qu'il ne soit enduit de cire). Coupez le concombre et les poivrons en cubes.

2   Mélangez tous les ingrédients au robot culinaire (en séparant le mélange en deux, si nécessaire) pendant une dizaine de secondes. Évitez de mélanger plus longtemps sans quoi votre gaspacho sera trop liquide. Le potage sera meilleur s'il contient de petits morceaux de légumes bien croquants.

3   Rectifiez l'assaisonnement. Réfrigérez au moins 1 heure avant de servir.

Truc : le gaspacho pourra être servi immédiatement si, quelques heures avant sa préparation, vous avez pris soin de mettre les tomates au réfrigérateur.

Variante à l'avocat : pour adoucir ce potage et le rendre plus onctueux, ajoutez-y un avocat que vous mélangerez au robot culinaire avec les autres ingrédients.

sans :

œuf

lait

soya

arachide

noix

graine de sésame

blé

poisson

mollusques

crustacés

bœuf

poulet

Les enfants sont un peu magiciens : ils arrivent souvent, avec une facilité et un naturel déconcertants, à retourner en leur faveur une situation à première vue fâcheuse. Prenez le cas de Béatrice, allergique aux arachides, qui, à l'âge de trois ans, a repoussé le brocoli qui garnissait son assiette en déclarant : « Je ne peux pas le manger, il contient des traces d'arachides ! »

Au fait, bien que la présente section regorge de légumes, l'on n'y trouve pas trace de brocoli !

LÉGUMES ET PLATS D'ACCOMPAGNEMENT

Pommes de terre au romarin

Préparation : 15 min	Cuisson : 20 à 30 min	Quantité : 4 portions

Nous utilisons, pour cette recette, des pommes de terre Russet. D'autres variétés conviennent sans doute aussi bien.

4 pommes de terre
30 ml (2 c. à soupe) d'huile d'olive (de même que le volume d'huile nécessaire pour huiler la plaque à pâtisserie)
10 ml (2 c. à thé) de romarin frais
sel et poivre

1 Préchauffez le four à 200 ºC (400 ºF).

2 Pelez les pommes de terre. Taillez celles-ci en tranches aussi fines que possible. Dans un bol, mettez les lamelles de pommes de terre, l'huile d'olive, le romarin, le sel et le poivre. Mélangez le tout jusqu'à ce que les pommes de terre soient complètement enrobées d'huile.

3 Enduisez généreusement d'huile d'olive une plaque à pâtisserie. Déposez-y les tranches de pommes de terre en les faisant à peine se chevaucher. Mettez au four et faites cuire de 20 à 30 minutes.

Galette de pommes de terre

Préparation : 15 min   Cuisson : 20 min   Quantité : 4 portions

Une autre façon de servir les pommes de terre. Vive la variété !

4 ou 5 pommes de terre
30 ml (2 c. à soupe) d'huile d'olive
5 ml (1 c. à thé) d'origan séché
5 ml (1 c. à thé) de thym séché
sel et poivre

1 Pelez puis râpez les pommes de terre. Déposez les copeaux ainsi obtenus sur un linge à vaisselle propre.

2 Enveloppez entièrement les copeaux de pommes de terre dans le linge à vaisselle (un peu comme s'il s'agissait d'un sac). Tordez ensuite le linge au dessus d'un plat ou d'un évier afin d'extraire le plus d'eau possible des pommes de terre.

3 Faites chauffer 15 ml (1 c. à soupe) d'huile d'olive dans une grande poêle. Déposez-y les copeaux de pommes de terre puis saupoudrez-les d'origan et de thym. Aplatissez les copeaux avec une spatule pour en faire une large galette. Salez et poivrez. Poursuivez la cuisson à feu moyen pendant 8 minutes. Secouez la poêle à quelques reprises de façon à ce que la galette cuise uniformément.

4 Faites glisser la galette dans une grande assiette. Versez l'huile d'olive restante dans la poêle puis remettez-y la galette après l'avoir retournée. Poursuivez la cuisson pendant encore 8 minutes en secouant la poêle à l'occasion. La galette est prête lorsqu'elle est légèrement dorée.

5 Déposez la galette dans une grande assiette. Après avoir rectifié l'assaisonnement, taillez la galette en pointes (comme vous le feriez avec une pizza).

Truc : pour retourner la galette sans la défaire, déposez une grande assiette, face vers le bas, sur la poêle. Il vous suffit ensuite de renverser la poêle et son contenu sur l'assiette.

sans :

œuf

lait

soya

arachide

noix

graine de sésame

blé

poisson

mollusques

crustacés

bœuf

poulet

Purée de patates douces et de pommes

Préparation : 5 min	Cuisson : 15 min	Quantité : 6 portions

Les pommes donnent à cette purée un petit arrière-goût aigre-doux tout à fait agréable.

2 grosses patates douces
3 pommes
sel

1 Épluchez les patates douces de même que les pommes. Coupez les patates en gros morceaux et les pommes en quartiers après en avoir retiré le cœur.

2 Mettez les morceaux de patates dans une casserole emplie d'eau bouillante légèrement salée. Faites bouillir pendant 7 minutes. Incorporez les quartiers de pommes et poursuivez la cuisson pendant encore 5 minutes ou jusqu'à ce que les patates et les pommes soient tendres (ce que vous pouvez vérifier en les piquant à l'aide d'une fourchette).

3 Retirez l'eau de cuisson puis passez la préparation au mélangeur à main ou au robot culinaire jusqu'à l'obtention d'une belle purée lisse.

sans :

œuf

lait

soya

arachide

noix

graine de sésame

blé

poisson

mollusques

crustacés

bœuf

poulet

Poêlée d'artichauts

Préparation : 15 min	Cuisson : 10 min	Quantité : 4 portions

Particulièrement délectable avec des olives kalamata...

8 cœurs d'artichauts en conserve
$^1/_3$ poivron rouge
$^1/_4$ oignon rouge
125 ml ($^1/_2$ tasse) d'olives noires
15 ml (1 c. à soupe) d'huile d'olive
2 ml ($^1/_2$ c. à thé) de vinaigre balsamique
1 ml ($^1/_4$ c. à thé) de basilic séché
sel et poivre

1 Tranchez les cœurs d'artichauts en quartiers. Coupez en dés fins le poivron rouge. Épluchez et hachez l'oignon. Coupez les olives en rondelles après les avoir dénoyautées.

2 Dans une poêle, faites chauffer l'huile d'olive à feu moyen. Ajoutez les quartiers de cœurs d'artichauts ainsi que les morceaux de poivron et d'oignon rouge. Faites cuire pendant 5 minutes en remuant de temps à autre.

3 Incorporez les rondelles d'olives, le vinaigre balsamique, le basilic, le sel et le poivre. Poursuivez la cuisson pendant 2 à 3 minutes.

sans :

œuf

lait

soya

arachide

noix

graine de sésame

blé

poisson

mollusques

crustacés

bœuf

poulet

Duxelles de champignons

Préparation : 5 min	Cuisson : 10 min	Quantité : 4 portions

À l'époque des pharaons, le champignon était considéré comme un aliment divin et il était interdit au peuple de le consommer. Dieu merci, les temps ont bien changé !

1 petit oignon
15 champignons blancs
2 champignons portobellos
15 ml (1 c. à soupe) d'huile d'olive
sel et poivre

1 Épluchez et hachez l'oignon. Émincez les champignons.

2 Faites chauffer l'huile d'olive dans une poêle à feu moyen-vif. Faites-y revenir l'oignon haché pendant environ 3 minutes. Ajoutez les champignons, le sel et le poivre. Poursuivez la cuisson jusqu'à ce que l'eau contenue dans les champignons soit presque complètement évaporée (environ 5 minutes).

sans :

œuf

lait

soya

arachide

noix

graine de sésame

blé

poisson

mollusques

crustacés

bœuf

poulet

Asperges et carottes sautées

Préparation : 15 min	Cuisson : 15 min	Quantité : 4 portions

À moins d'aimer vos asperges molles et fades, mieux vaut éviter de prolonger indûment leur cuisson. C'est un piège dans lequel vous ne risquez pas de tomber si vous respectez scrupuleusement les instructions qui suivent.

12 asperges
5 carottes
1 petit oignon rouge
15 ml (1 c. à soupe) d'huile d'olive
1 ml (¼ c. à thé) d'origan séché
5 ml (1 c. à thé) de jus de citron
sel et poivre

1 Enlevez l'extrémité dure des asperges. Épluchez les carottes. Épluchez et hachez l'oignon.

2 Faites cuire les carottes 2 minutes dans une casserole d'eau bouillante légèrement salée. Ajoutez les asperges et poursuivez la cuisson pendant 3 minutes. Retirez les légumes de l'eau et coupez-les en morceaux d'environ 5 cm (2 po). Réservez.

3 Dans une poêle, faites chauffer l'huile d'olive à feu moyen-vif. Faites-y revenir l'oignon haché jusqu'à ce qu'il soit translucide (environ 3 minutes). Réduisez à feu moyen puis ajoutez les morceaux d'asperges et de carottes de même que l'origan. Salez et poivrez. Poursuivez la cuisson pendant environ 3 minutes.

4 Versez le jus de citron sur le tout en fin de cuisson.

sans :

œuf

lait

soya

arachide

noix

graine de sésame

blé

poisson

mollusques

crustacés

bœuf

poulet

sans :

œuf

lait

soya

arachide

noix

graine de sésame

blé

poisson

mollusques

crustacés

bœuf

poulet

Ratatouille

Préparation : 15 min	Cuisson : 30 min	Quantité : 8 portions

La ratatouille est tout aussi délicieuse chaude que froide.

> 1 aubergine moyenne
> 1 oignon
> 2 courgettes moyennes
> 60 ml (4 c. à soupe) d'huile d'olive
> 810 ml (3¼ tasses) de tomates en conserve coupées en dés (sans assaisonnements)
> 45 ml (3 c. à soupe) de persil frais haché
> 2 ml (½ c. à thé) de thym séché
> sel et poivre

1 Pelez puis taillez en dés l'aubergine. Épluchez et hachez l'oignon. Coupez les courgettes en rondelles sans les peler.

2 Faites chauffer l'huile d'olive dans une grande casserole à feu moyen. Ajoutez les dés d'aubergine. Faites cuire pendant 5 minutes en brassant de temps à autre.

3 Incorporez l'oignon haché et les rondelles de courgettes. Poursuivez la cuisson pendant 10 minutes en couvrant à moitié. Remuez à l'occasion.

4 Ajoutez les tomates, le persil, le thym, le sel et le poivre. Mélangez bien. Couvrez à moitié. Faites cuire pendant 15 minutes à feu doux. Brassez sporadiquement.

Courge spaghetti au pistou et aux tomates

Préparation : 15 min	Cuisson : 25 min	Quantité : 4 portions

La courge spaghetti se marie également très bien avec la sauce marinara (p. 188).

1 courge spaghetti moyenne
1 gousse d'ail
6 tomates italiennes
15 ml (1 c. à soupe) d'huile d'olive
2 cubes de pistou décongelés (p. 291)
sel et poivre

1 Coupez la courge spaghetti en deux dans le sens de la longueur puis enlevez les graines qui se trouvent dans la cavité centrale. Déposez les moitiés de courge, cavité vers le bas, sur une assiette allant au four à micro-ondes. Faites cuire au micro-ondes à puissance maximale jusqu'à ce que vous puissiez facilement défaire la chair en filaments à l'aide d'une fourchette (12 à 15 minutes). Retirez la chair et réservez au chaud.

2 Épluchez et hachez la gousse d'ail. Coupez les tomates en cubes.

3 Faites chauffer l'huile d'olive dans une poêle à feu moyen-vif. Faites-y revenir, pendant environ 5 minutes, les morceaux d'ail et de tomates. Ajoutez les cubes de pistou, le sel et le poivre. Mélangez. Réduisez à feu doux et poursuivez la cuisson pendant 2 minutes.

4 Versez la préparation de pistou et de tomates sur les filaments de courge après avoir réparti ceux-ci dans les assiettes.

sans :

œuf

lait

soya

arachide

noix

graine de sésame

blé

poisson

mollusques

crustacés

bœuf

poulet

sans :

œuf

lait

soya

arachide

noix

graine de sésame

poisson

mollusques

crustacés

bœuf

poulet

Couscous

Préparation : moins de 5 min	Repos : 5 min	Cuisson : moins de 5 min
Quantité : 6 portions		

Vous ne possédez pas de couscoussier, cette marmite double spécialement conçue pour la cuisson du couscous ? Nous non plus ! Nous nous contentons du four à micro-ondes. Pas exactement orthodoxe mais très efficace !

375 ml (1½ tasse) de couscous à grains moyens
375 ml (1½ tasse) d'eau bouillante
60 ml (4 c. à soupe) d'huile d'olive
mélange d'épices à couscous (paprika, cumin, coriandre, ail, gingembre, poivre, etc.)
sel

1 Mettez le couscous dans un bol pouvant aller au four à micro-ondes. Ajoutez l'eau bouillante et l'huile d'olive. Mélangez le tout avec une fourchette.

2 Couvrez le bol et laissez reposer 5 minutes. Brassez après 2 ou 3 minutes pour bien séparer les grains de couscous.

3 Mélangez de nouveau puis placez le bol au micro-ondes. Faites réchauffer (puissance 8 sur notre micro-ondes) pendant 2 minutes. Ajoutez les épices à couscous et le sel puis brassez une dernière fois.

LAIT, SOYA, ARACHIDE, NOIX, GRAINE DE SÉSAME ET BLÉ : certains mélanges d'épices peuvent contenir des traces de ces aliments (il est possible que l'on y trouve également d'autres allergènes). N'hésitez pas à communiquer avec le manufacturier pour obtenir des précisions à cet égard.

Polenta

Préparation : moins de 5 min	Cuisson : moins de 5 min	Quantité : 6 portions

Tout comme le couscous, le riz ou les pâtes, la polenta accompagne en beauté nombre de plats. Nous l'aimons tout particulièrement nappée de sauce marinara (p. 188).

750 ml (3 tasses) de boisson de riz permise
250 ml (1 tasse) d'eau
20 ml (4 c. à thé) de ciboulette fraîche hachée
10 ml (2 c. à thé) de basilic frais haché
250 ml (1 tasse) de semoule de maïs précuite
(polenta instantanée)
sel et poivre

1 Versez la boisson de riz et l'eau dans une casserole moyenne. Salez, poivrez et portez à ébullition à feu vif en brassant de temps à autre.

2 Une fois à ébullition, ajoutez la ciboulette et le basilic. Versez ensuite lentement la semoule de maïs dans la casserole en remuant sans arrêt. Réduisez à feu moyen-vif et faites cuire jusqu'à ce que la semoule épaississe (environ 3 minutes). Poursuivez la cuisson pendant 1 minute en remuant sans cesse.

3 Retirez du feu. Brassez de nouveau.

Variante frite : la polenta peut également être frite. Il s'agit de la préparer de la façon indiquée plus haut puis de la mettre au réfrigérateur pendant plusieurs heures pour la faire prendre. La polenta solidifiée peut alors être découpée en tranches. Pour faire frire celles-ci, faites chauffer de l'huile d'olive dans une poêle à feu moyen. Déposez les tranches dans la poêle et faites-les cuire des deux côtés pendant une dizaine de minutes au total. La polenta frite peut être servie avec des légumes, être recouverte d'une sauce, etc.

sans :

œuf

lait

soya

arachide

noix

graine de sésame

blé

poisson

mollusques

crustacés

bœuf

poulet

Pilaf de basmati

Préparation : 10 min	Cuisson : 20 min	Repos : 10 min	Quantité : 6 portions

Délicieusement parfumé, le riz basmati est très apprécié des connaisseurs. Le plat que nous vous proposons n'est pas bien difficile à réussir ; il s'agit seulement de ne pas prendre de raccourcis. L'étape du rinçage, en particulier, est incontournable : elle débarrasse les grains de leur amidon, lesquels cessent dès lors d'être collants. Le résultat ? Un riz léger, presque aérien !

310 ml (1¼ tasse) de riz basmati
2 carottes
1 oignon
30 ml (2 c. à soupe) d'huile d'olive
7 ml (1½ c. à thé) de gingembre frais émincé
5 ml (1 c. à thé) de coriandre moulue
3 ml (¾ c. à thé) de curcuma moulu
3 ml (¾ c. à thé) de cardamome moulue
500 ml (2 tasses) d'eau
1 feuille de laurier
45 ml (3 c. à soupe) de coriandre ou de persil frais hachés
sel et poivre

1 Mettez le riz basmati dans un grand bol empli d'eau froide. Rincez le riz en le brassant avec vos mains puis, lorsque l'eau devient trouble, égouttez le riz. Renouvelez l'eau, brassez de nouveau puis égouttez. Répétez l'opération encore 2 ou 3 fois (ou jusqu'à ce que l'eau demeure claire). Égouttez soigneusement le riz et réservez.

2 Épluchez puis râpez les carottes. Épluchez et hachez l'oignon. Faites chauffer 15 ml (1 c. à soupe) d'huile d'olive dans une grande casserole à feu moyen-vif. Ajoutez le gingembre émincé, les carottes râpées et l'oignon haché. Faites cuire environ 3 minutes en remuant de temps à autre.

3 Ajoutez l'huile d'olive restante, le riz, la coriandre, le curcuma et la cardamome. Poursuivez la cuisson pendant 2 minutes en mélangeant bien les ingrédients.

4 Versez l'eau et ajoutez la feuille de laurier. Salez et poivrez. Portez à ébullition.

5 Couvrez puis réduisez le feu. Laissez mijoter doucement pendant 15 minutes sans remuer ni soulever le couvercle de la casserole.

Pilaf de basmati (suite)

6 Retirez la casserole du feu sans la découvrir. Laissez reposer 10 minutes afin de permettre au riz de bien absorber l'eau. L'apparition de petits cratères à la surface du riz indique que celui-ci est cuit.

7 Enlevez la feuille de laurier. Incorporez la coriandre fraîche (ou le persil frais). Mélangez le riz avec une fourchette.

Variante avec soya : avant que les noix de cajou ne nous soient interdites, il nous arrivait d'en ajouter quelques-unes à ce plat. Craquant! Nous remplaçons dorénavant les noix par des haricots de soya rôtis et le résultat est fort intéressant. Vous avez envie d'essayer? Incorporez simplement 30 ml (2 c. à soupe) de haricots de soya rôtis en même temps que la coriandre ou le persil frais (étape 7 de la recette).

La laitue est certes un ingrédient de choix dans les salades. Saviez-vous que le nom de ce légume vient du terme latin «lactuca», lui-même dérivé de «lactus» qui signifie «lait»? Selon *L'Encyclopédie visuelle des aliments*, la laitue aurait ainsi été nommée en raison de la substance laiteuse qui suinte de ses tiges lorsqu'on les coupe. Il n'en reste pas moins qu'il s'agit là d'un aliment sans danger pour les personnes allergiques aux produits laitiers!

sans :

œuf

lait

soya

arachide

noix

graine de sésame

blé

poisson

mollusques

crustacés

bœuf

poulet

Salade de tomates et de champignons

Préparation : 10 min	Cuisson : aucune	Quantité : 4 portions

Un plat frais, simple et prêt en un rien de temps !

2 tomates bien mûres
12 champignons blancs
30 ml (2 c. à soupe) de persil plat frais haché
15 ml (1 c. à soupe) d'origan frais haché
30 ml (2 c. à soupe) d'huile d'olive
15 ml (1 c. à soupe) de vinaigre balsamique
sel et poivre

1 Coupez les tomates en dés et tranchez les champignons en fines lamelles. Mettez le tout dans un bol à salade.

2 Hachez le persil et l'origan. Mélangez, dans un petit bol, l'huile d'olive, le vinaigre balsamique, le persil, l'origan, le sel et le poivre.

3 Versez la vinaigrette sur les légumes. Mélangez délicatement jusqu'à ce que ceux-ci soient complètement enrobés de vinaigrette. Rectifiez l'assaisonnement.

Salade de porc et de tomates séchées

Préparation : 20 min	Cuisson : aucune	Quantité : 4 portions

Vraiment délectable cette petite salade froide !

1 rôti de porc cuit d'environ 600 g (1 1/4 lb) (p. 162)
20 tomates séchées
45 ml (3 c. à soupe) d'huile d'olive
30 ml (2 c. à soupe) de vinaigre balsamique
6 feuilles de basilic frais
sel et poivre

1 Découpez le rôti de porc refroidi en tranches minces puis taillez chaque tranche en courtes lanières étroites.

2 Coupez les tomates séchées en petits morceaux après les avoir réhydratées, si nécessaire (voir, à cet égard, le truc n° 2, p. 99). Mettez les morceaux de tomates et les lanières de porc dans un bol à salade.

3 Mélangez, dans un petit bol, l'huile d'olive, le vinaigre balsamique, les feuilles de basilic (préalablement hachées), le sel et le poivre.

4 Versez la vinaigrette sur le contenu du bol à salade et mélangez. Rectifiez l'assaisonnement.

sans :

œuf

lait

soya

arachide

noix

graine de sésame

blé

poisson

mollusques

crustacés

bœuf

poulet

Salade d'épinards à l'érable

Préparation : 10 min	Cuisson : aucune	Quantité : 4 portions

Si vous pouvez vous le permettre, parsemez cette salade de morceaux de bacon ou de lardons. Succulent !

**jeunes feuilles d'épinards
6 champignons blancs
15 ml (1 c. à soupe) de jus de citron
45 ml (3 c. à soupe) d'huile de canola
45 ml (3 c. à soupe) de sirop d'érable
30 ml (2 c. à soupe) de vinaigre de cidre
sel et poivre**

1 Déposez les feuilles d'épinards dans un bol à salade. Ajoutez les champignons après les avoir tranchés en fines lamelles. Versez le jus de citron. Salez et poivrez.

2 Mélangez l'huile de canola, le sirop d'érable et le vinaigre de cidre dans un petit bol. Versez cette vinaigrette sur le contenu du bol à salade. Mélangez soigneusement tous les ingrédients. Rectifiez l'assaisonnement.

ŒUF ET LAIT : attention au sirop d'érable utilisé si vous devez proscrire les œufs ou le lait. Certains sirops peuvent, en effet, contenir des traces de ces aliments.

sans :

œuf

lait

soya

arachide

noix

graine de sésame

blé

poisson

mollusques

crustacés

bœuf

poulet

Salade de couscous aux raisins secs

| Préparation : 10 min | Cuisson : aucune | Quantité : 6 portions |

Les indications relatives à la cuisson du couscous sont reproduites à la page 129 (il vaut mieux toutefois omettre les épices).

3 ciboules
quelques feuilles de menthe fraîche
½ poivron vert
½ poivron rouge
1 l (4 tasses) de coucous cuit refroidi
185 ml (¾ tasse) de raisins secs
15 ml (1 c. à soupe) de jus de citron
15 ml (1 c. à soupe) d'huile d'olive
15 ml (1 c. à soupe) d'huile de canola
30 ml (2 c. à soupe) de vinaigre de vin à la framboise
sel et poivre

1 Hachez les ciboules et les feuilles de menthe. Coupez les poivrons en petits dés.

2 Dans un bol à salade, mélangez le couscous, les ciboules, la menthe, les poivrons et les raisins secs.

3 Mélangez dans un petit bol le jus de citron, l'huile d'olive, l'huile de canola, le vinaigre de vin, le sel et le poivre. Versez cette vinaigrette sur le contenu du bol à salade. Mélangez soigneusement tous les ingrédients. Rectifiez l'assaisonnement.

SOYA : allergique au soya ? Assurez-vous que les raisins secs utilisés ne contiennent pas d'huile végétale hydrogénée provenant du soya.

sans :

œuf

lait

soya

arachide

noix

graine de sésame

poisson

mollusques

crustacés

bœuf

poulet

sans :

œuf

lait

soya

arachide

noix

graine de sésame

blé

poisson

mollusques

crustacés

bœuf

poulet

Salade de légumineuses

Préparation : 25 min	Cuisson : aucune	Quantité : 8 portions

Riches en protéines, les légumineuses constituent en outre une excellente source de fibres alimentaires.

½ poivron rouge
30 haricots verts frais
2 branches de céleri
2 ciboules
500 ml (2 tasses) de haricots rouges
500 ml (2 tasses) de haricots romains
500 ml (2 tasses) de pois chiches
30 ml (2 c. à soupe) de persil frais haché
45 ml (3 c. à soupe) de jus de citron
60 ml (4 c. à soupe) d'huile d'olive
30 ml (2 c. à soupe) de vinaigre de vin
sel et poivre

1 Coupez le poivron en dés et les haricots verts en petits tronçons. Hachez les branches de céleri et les ciboules. Rincez et égouttez les haricots rouges, les haricots romains et les pois chiches. Mettez le tout dans un bol à salade. Ajoutez le persil. Salez et poivrez.

2 Mélangez le jus de citron, l'huile d'olive et le vinaigre de vin dans un petit bol. Versez cette vinaigrette sur le contenu du bol à salade. Mélangez soigneusement tous les ingrédients. Rectifiez l'assaisonnement.

Tarte ouverte aux poireaux

Préparation : 20 min	Cuisson : 45 min	Quantité : 2 tartes

Cette tarte peut fort bien remplacer une quiche au cours d'un brunch. Par ailleurs, la préparation de poireaux et de tomates peut être servie séparément, comme plat d'accompagnement.

La tarte ouverte aux poireaux se congèle très bien.

4 poireaux
2 gousses d'ail
30 ml (2 c. à soupe) d'huile d'olive
810 ml (3¼ tasses) de tomates en conserve coupées en dés
(sans assaisonnements)
30 ml (2 c. à soupe) de farine de blé
5 ml (1 c. à thé) d'origan séché
sel et poivre
2 abaisses de pâte à tarte simple (p. 227)

1 Préchauffez le four à 190 ºC (375 ºF).

2 Tranchez les poireaux en deux dans le sens de la longueur pour ensuite les couper en demi-rondelles assez minces (parties blanche et vert pâle seulement). Épluchez et hachez les gousses d'ail.

3 Faites chauffer l'huile d'olive dans une poêle. Faites-y cuire les poireaux et l'ail à feu moyen pendant environ 5 minutes. Ajoutez les tomates (en ayant pris soin de les égoutter au préalable), la farine, l'origan, le sel et le poivre. Mélangez et poursuivez la cuisson, à feu moyen, durant 5 minutes. Réservez.

4 Déposez une abaisse non cuite dans un moule à tarte de façon à ce qu'elle en épouse parfaitement la forme. Coupez l'excédent de pâte sur les bords du moule. Versez la moitié de la préparation dans l'abaisse en l'étalant soigneusement. Procédez de la même façon pour la seconde tarte.

5 Faites cuire au four environ 35 minutes ou jusqu'à ce que la croûte soit cuite et légèrement dorée.

sans :

œuf

lait

arachide

noix

graine de sésame

poisson

mollusques

crustacés

bœuf

poulet

Tofu brouillé

Préparation : 5 min	Cuisson : 10 min	Quantité : 4 portions

Une alternative aux œufs brouillés.

sans :

œuf

lait

arachide

noix

graine de sésame

blé

poisson

mollusques

crustacés

bœuf

poulet

2 ciboules
4 champignons
15 ml (1 c. à soupe) d'huile de canola
375 ml (1½ tasse) de tofu ferme à texture fine
15 ml (1 c. à soupe) de sauce soya
15 ml (1 c. à soupe) de persil frais haché
2 ml (½ c. à thé) d'estragon séché
1 ml (¼ c. à thé) de curcuma moulu
sel et poivre

1 Hachez les ciboules et émincez les champignons.

2 Faites chauffer l'huile de canola dans une poêle à feu moyen-vif. Faites-y revenir les ciboules et les champignons pendant 2 minutes.

3 Après avoir défait le tofu en petits morceaux à l'aide d'une fourchette, incorporez-le au contenu de la poêle. Ajoutez la sauce soya, le persil, l'estragon, le curcuma, le sel et le poivre. Mélangez et poursuivez la cuisson, à feu moyen, durant 5 minutes. Servez sans attendre.

BLÉ : le blé vous est interdit ? Prenez garde : plusieurs sauces soya en contiennent.

Purée de légumineuses

Préparation : 10 min	Cuisson : 10 min	Quantité : 4 portions

Si vous destinez cette purée à un bébé, mieux vaut passer le maïs en grains au robot culinaire en l'incorporant en même temps que les autres ingrédients (étape 2 de la recette).

1 petit oignon
30 ml (2 c. à soupe) d'huile d'olive
250 ml (1 tasse) de haricots rouges
250 ml (1 tasse) de pois chiches
45 ml (3 c. à soupe) de pâte de tomates (sans assaisonnements)
45 ml (3 c. à soupe) d'eau
125 ml (½ tasse) de maïs en grains
sel et poivre

1 Épluchez et hachez l'oignon. Faites chauffer 15 ml (1 c. à soupe) d'huile d'olive dans une poêle à feu moyen-vif. Faites-y revenir les morceaux d'oignon jusqu'à ce qu'ils soient translucides (environ 3 minutes).

2 Rincez et égouttez les haricots rouges et les pois chiches. Mettez ceux-ci de même que l'oignon cuit, la pâte de tomates et l'eau dans le bol d'un robot culinaire. Mélangez le tout jusqu'à l'obtention d'une purée homogène.

3 Faites de nouveau chauffer 15 ml (1 c. à soupe) d'huile d'olive dans la poêle à feu moyen. Incorporez la purée de légumineuses et le maïs en grains. Salez et poivrez. Réduisez à feu moyen-doux. Poursuivez la cuisson pendant environ 5 minutes (ou jusqu'à ce que la purée soit uniformément chaude). Rectifiez l'assaisonnement.

sans :

œuf

lait

soya

arachide

noix

graine de sésame

blé

poisson

mollusques

crustacés

bœuf

poulet

On nous a rapporté cette anecdote mettant en scène une petite fille de sept ans, allergique au lait et aux œufs. Celle-ci portait un bracelet Medic Alert précisant la nature de ses allergies alimentaires. Après avoir pris connaissance de l'inscription gravée sur le bracelet, un ami de la famille demanda à la fillette : «Es-tu également allergique aux chats ?» «Je ne sais pas, répondit-elle, je n'en ai jamais mangé !»

Vous trouverez, dans les pages qui suivent, des suggestions pour apprêter diverses viandes. Certaines d'entre elles sont assez inhabituelles… mais le chat, est-il besoin de le préciser, n'en fait pas partie !

Brochettes de veau, sauce satay

| Préparation : 30 min | Repos 1 h | Cuisson : 5 min | Quantité : 6 portions |

Dans cette recette, c'est le haricot de soya rôti qui remplace l'arachide, ingrédient de base de la sauce satay originale. Nous servons habituellement ces brochettes, accompagnées de riz et de quelques légumes, comme mets principal. Elles font en outre d'incomparables hors-d'œuvre.

800 g (1¾ lb) d'escalopes de veau
½ poivron rouge
½ poivron jaune

MARINADE
1 gousse d'ail
90 ml (6 c. à soupe) d'huile de canola
60 ml (4 c. à soupe) de sauce soya
60 ml (4 c. à soupe) de jus de citron
30 ml (2 c. à soupe) de coriandre ou de persil plat frais hachés
20 ml (4 c. à thé) de gingembre frais émincé
15 ml (1 c. à soupe) de cassonade
poivre

SAUCE SATAY
½ gousse d'ail
2 ciboules
90 ml (6 c. à soupe) de haricots de soya rôtis
90 ml (6 c. à soupe) d'huile de canola
30 ml (2 c. à soupe) de sauce soya
30 ml (2 c. à soupe) de jus de citron
15 ml (1 c. à soupe) de cassonade

MARINADE
1 Épluchez et hachez la gousse d'ail. Mélangez l'ail haché ainsi que tous les autres ingrédients de la marinade dans un contenant muni d'un couvercle.

2 Taillez les escalopes en lamelles d'environ 2,5 cm (1 po) de large sur 10 cm (5 po) de long. Immergez les lamelles de veau dans la marinade, mettez le couvercle puis laissez mariner au moins 1 heure au réfrigérateur.

SAUCE SATAY
3 Épluchez et hachez la ½ gousse d'ail. Tranchez les ciboules. Mettez l'ail et les ciboules de même que tous les autres ingrédients de la sauce dans le bol du

sans :

œuf

lait

arachide

noix

graine de sésame

blé

poisson

mollusques

crustacés

poulet

Brochettes de veau, sauce satay (suite)

robot culinaire. Mélangez jusqu'à l'obtention d'une sauce homogène, ayant une consistance comparable à celle du beurre d'arachide. Réservez.

PRÉPARATION DES BROCHETTES

4 Faites tremper des brochettes de bois dans l'eau pendant au moins 30 minutes.

5 Allumez le gril du four.

6 Coupez les poivrons en fines lamelles. Retirez les lanières de veau de la marinade. Égouttez-les puis enfilez 2 ou 3 lanières par brochette en les repliant 2 ou 3 fois.

7 Faites griller au four les brochettes pendant environ 5 minutes en les retournant après 2 à 3 minutes.

8 Versez une portion de sauce satay dans chaque assiette. Déposez les brochettes dans les assiettes, près de la sauce. Décorez avec les lamelles de poivrons.

BLÉ : le blé vous est interdit? Prenez garde : plusieurs sauces soya en contiennent.

sans :

œuf

lait

arachide

noix

graine de sésame

blé

poisson

mollusques

crustacés

poulet

Escalopes de veau au gingembre et au citron

Préparation : 10 min	Cuisson : 5 min	Quantité : 4 portions

Un petit goût citronné dont vous nous donnerez des nouvelles !

15 ml (1 c. à soupe) de gingembre frais émincé
1 ciboule
$\frac{1}{2}$ citron
30 ml (2 c. à soupe) de margarine
450 g (1 lb) d'escalopes de veau
sel et poivre

1 Pelez et émincez le gingembre. Hachez la ciboule. Pressez le $\frac{1}{2}$ citron afin d'en extraire tout le jus puis prélevez le zeste.

2 Dans une poêle, faites fondre à feu vif 15 ml (1 c. à soupe) de margarine. Ajoutez les escalopes et saisissez-les sur chaque face pendant 1 minute. Retirez les escalopes de la poêle et réservez.

3 Après avoir rajouté 15 ml (1 c. à soupe) de margarine dans la poêle, saisissez à feu moyen-vif pendant 2 minutes le zeste de citron, le gingembre et la ciboule.

4 Versez le jus de citron sur le tout puis remettez les escalopes dans la poêle. Poursuivez la cuisson pendant 1 minute. Salez et poivrez. Au moment de servir, versez le contenu de la poêle sur les escalopes.

LAIT : allergique aux produits laitiers ? Plusieurs margarines en contiennent, aussi est-il important de lire attentivement la liste des ingrédients de celle que vous utilisez.

Osso-buco

Préparation : 30 min	Cuisson : 2 h 15	Quantité : 6 portions

Un classique italien qui allie tendreté et onctuosité. Nous le servons habituellement avec du riz.

30 ml (2 c. à soupe) d'huile d'olive
6 jarrets de veau
1 oignon
125 ml ($\frac{1}{2}$ tasse) de jus de pommes
810 ml ($3\frac{1}{4}$ tasses) de tomates en conserve coupées en dés
(sans assaisonnements)
45 ml (3 c. à soupe) de pâte de tomates
(sans assaisonnements)
2 ml ($\frac{1}{2}$ c. à thé) d'origan séché
2 ml ($\frac{1}{2}$ c. à thé) de sauge séchée
1 ml ($\frac{1}{4}$ c. à thé) de thym séché
2 feuilles de laurier
sel et poivre

1 Préchauffez le four à 160 ºC (325 ºF).

2 Faites chauffer l'huile d'olive dans une poêle à feu vif. Faites-y saisir les jarrets de veau pendant environ 3 minutes de chaque côté. Déposez les jarrets dans un grand plat à rôtir allant au four. Réservez.

3 Épluchez et hachez l'oignon. Dans la poêle déjà utilisée pour les jarrets (et que vous ne nettoyez surtout pas !), faites cuire l'oignon à feu moyen-vif pendant environ 3 minutes. Ajoutez le jus de pommes pour déglacer. Faites cuire à feu vif jusqu'à ce que le liquide ait réduit de moitié.

4 Versez la sauce ainsi obtenue dans un bol. Ajoutez les tomates, la pâte de tomates, l'origan, la sauge, le thym et les feuilles de laurier. Mélangez. Versez le tout sur les jarrets de veau.

5 Couvrez le plat d'une feuille de papier d'aluminium et mettez au four pendant environ 2 heures.

6 Au moment de servir, arrosez les jarrets avec le liquide de cuisson.

sans :

œuf

lait

soya

arachide

noix

graine de sésame

blé

poisson

mollusques

crustacés

poulet

sans :

œuf

lait

soya

arachide

noix

graine de sésame

blé

poisson

mollusques

crustacés

poulet

Foie de veau au vinaigre de vin à la framboise

Préparation : moins de 5 min   Cuisson : 5 min   Quantité : 4 portions

Le secret d'un foie de veau réussi se trouve tout entier dans sa cuisson. Encore rosé, il fond presque dans la bouche tandis que trop cuit, il s'apparente à de la semelle de botte !

> **15 ml (1 c. à soupe) d'huile de canola**
> **450 g (1 lb) de foie de veau coupé en tranches minces**
> **15 ml (1 c. à soupe) de vinaigre de vin à la framboise**
> **sel et poivre**

1 Dans une poêle, faites chauffer l'huile de canola à feu moyen-vif. Ajoutez les tranches de foie et faites cuire pendant 3 minutes.

2 Retournez les tranches. Salez, poivrez puis versez le vinaigre. Poursuivez la cuisson pendant environ 2 minutes (le foie doit demeurer rosé au centre).

Variante au vinaigre balsamique : remplacez le vinaigre de vin à la framboise par le même volume de vinaigre balsamique.

Rognons de veau à la forestière

Préparation : 25 min	Cuisson : 15 min	Quantité : 4 portions

Vos rognons seront d'autant plus « à la forestière » si vous diversifiez les champignons utilisés en incorporant, par exemple, des pleurotes et des portobellos.

1 poivron rouge
15 champignons blancs
1 petit oignon
1 gousse d'ail
450 g (1 lb) de rognons de veau
30 ml (2 c. à soupe) d'huile d'olive
3 ml (¾ c. à thé) de thym séché
2 ml (½ c. à thé) d'origan séché
45 ml (3 c. à soupe) de pâte de tomates
(sans assaisonnements)
45 ml (3 c. à soupe) d'eau
sel et poivre

1 Coupez le poivron en dés et les champignons en quartiers. Épluchez et hachez l'oignon et l'ail.

2 Parez les rognons en prenant bien soin d'enlever tous les conduits internes (parties blanches), sans quoi les rognons, une fois cuits, auront une texture caoutchouteuse. Coupez les rognons en tranches minces.

3 Faites chauffer 15 ml (1 c. à soupe) d'huile d'olive dans une poêle à feu vif. Ajoutez les rognons, l'oignon et l'ail. Faites cuire 5 minutes en remuant de temps à autre. Réservez dans un autre plat.

4 Versez l'huile d'olive restante dans la poêle. Réduisez à feu moyen-vif et faites cuire le poivron pendant 3 minutes. Ajoutez ensuite les champignons, le thym, l'origan, le sel et le poivre. Poursuivez la cuisson pendant environ 2 minutes.

5 Dans un petit bol, mélangez la pâte de tomates et l'eau. Versez ce mélange dans la poêle et mélangez.

6 Remettez dans la poêle le mélange de rognons, d'oignon et d'ail de même que le liquide dans lequel il baigne. Faites mijoter 2 ou 3 minutes à feu assez doux.

7 Rectifiez l'assaisonnement et servez.

sans :

œuf

lait

soya

arachide

noix

graine de sésame

blé

poisson

mollusques

crustacés

poulet

œuf

lait

arachide

noix

graine de sésame

poisson

mollusques

crustacés

poulet

Boulettes de veau, sauce soya et tomates

Préparation : 30 min	Cuisson : 45 min	Quantité : 6 portions

Le boulghour est un grain de blé entier traité selon une méthode plus que millénaire. Si vous n'en avez pas sous la main, vous pouvez fort bien le remplacer par du couscous.

1 oignon
1 poivron jaune
^{1}/$_2$ poivron rouge
30 ml (2 c. à soupe) de boulghour
810 ml (3^1/$_4$ tasses) de tomates en conserve coupées en dés
(sans assaisonnements)
675 g (1^1/$_2$ lb) de veau haché
5 ml (1 c. à thé) de thym séché
2 ml (^{1}/$_2$ c. à thé) d'origan séché
125 ml (^{1}/$_2$ tasse) de farine de blé
125 ml (^{1}/$_2$ tasse) de sauce soya
750 ml (3 tasses) d'eau
375 ml (1^1/$_2$ tasse) d'olives noires dénoyautées
poivre

1 Épluchez et hachez finement l'oignon. Hachez tout aussi finement les poivrons. Mettez le tout dans un bol. Ajoutez le boulghour et un peu du jus des tomates en conserve (afin de bien humecter le boulghour). Mélangez.

2 Incorporez le veau haché, le thym, l'origan et le poivre. Mélangez bien le tout.

3 Avec vos mains, façonnez la préparation en lui donnant la forme de petites boulettes (pas plus grosses que des balles de golf). Versez la farine dans une assiette. Roulez chaque boulette dans la farine afin qu'elle en soit bien enrobée. Réservez.

4 Versez, dans une grande casserole, la sauce soya et l'eau. Ajoutez les tomates. Portez à ébullition puis incorporez les boulettes. Réduisez le feu et laissez mijoter pendant 45 minutes.

5 Ajoutez les olives noires (après les avoir égouttées) 5 minutes avant la fin de la cuisson.

Pain de viande à la tomate

Préparation : 15 min	Cuisson : 1 h 15	Quantité : 8 portions

D'après notre expérience, la plupart des tout-petits le dévorent sans se faire prier…

1 oignon
900 g (2 lb) de veau haché
125 ml (½ tasse) de chapelure (p. 211)
2 ml (½ c. à thé) de thym séché
2 ml (½ c. à thé) de sauge séchée
185 ml (¾ tasse) d'eau
160 ml (⅔ tasse) de pâte de tomates (sans assaisonnements)
20 ml (4 c. à thé) de cassonade
45 ml (3 c. à soupe) de vinaigre balsamique
sel et poivre

1 Préchauffez le four à 190 ºC (375 ºF).

2 Épluchez puis hachez l'oignon. Dans un premier bol, mettez le veau, l'oignon, la chapelure, le thym, la sauge, le sel, le poivre ainsi que 30 ml (2 c. à soupe) d'eau. Mélangez le tout avec vos mains puis donnez à la préparation la forme d'une brique ou d'un pavé (correspondant aux dimensions de votre plat à rôtir).

3 Dans un second bol, mélangez la pâte de tomates, le reste de l'eau, la cassonade et le vinaigre balsamique.

4 Versez le contenu du deuxième bol dans un plat à rôtir assez profond. Déposez le pain de viande sur le tout puis recouvrez le plat d'une feuille de papier d'aluminium.

5 Faites cuire au four pendant 1 heure 15 minutes.

6 Servez le pain de viande découpé en tranches et arrosé du liquide de cuisson.

Variante sans blé : utilisez une chapelure faite à partir d'un pain exempt de blé.

sans :

œuf

lait

soya

arachide

noix

graine de sésame

poisson

mollusques

crustacés

poulet

Bouillon à fondue chinoise

Préparation : 10 min	Cuisson : 35 min	Quantité : 1 l (4 tasses)

Rien de tel qu'une fondue chinoise pour créer une atmosphère de fête. Et en plus, ce n'est pas bien difficile à faire ! Préparez d'abord le bouillon et les sauces (p. 155 à 158). Disposez ensuite dans une grande assiette des lanières de viande (bœuf, cheval, poulet, dinde ou porc) et, dans un autre plat, des légumes frais, tranchés ou non (champignons, poivrons, brocolis, etc.). Comme accompagnement : du riz ou des pommes de terre. Voilà ! Au tour de vos convives de travailler un peu !

1 oignon
1 gousse d'ail
15 ml (1 c. à soupe) d'huile d'olive
500 ml (2 tasses) de fond de veau (p. 92)
500 ml (2 tasses) de jus de tomates
250 ml (1 tasse) d'eau
80 ml (1/3 tasse) de pâte de tomates (sans assaisonnements)
5 ml (1 c. à thé) de thym séché
1 feuille de laurier
sel et poivre

1 Épluchez et hachez l'oignon et la gousse d'ail.

2 Faites chauffer l'huile d'olive dans une grande casserole à feu moyen-vif. Faites-y revenir l'ail et l'oignon jusqu'à ce qu'ils soient translucides (environ 3 minutes).

3 Incorporez le fond de veau, le jus de tomates, l'eau, la pâte de tomates, le thym, la feuille de laurier, le sel et le poivre. Mélangez. Portez à ébullition. Réduisez le feu et laissez mijoter à découvert pendant environ 30 minutes.

4 Retirez la feuille de laurier. Passez le bouillon au mélangeur à main (ou au robot culinaire).

5 Réchauffez le bouillon tout juste avant de servir et versez-le, encore frémissant, dans le pot à fondue.

Truc: vous n'avez pas de fond de veau ? Un bon bouillon fera aussi bien l'affaire. À défaut, vous pouvez remplacer le fond par 3 ou 4 os à moelle et 750 ml (3 tasses) d'eau. Laissez mijoter à feu doux pendant 1 heure environ (plutôt que 30 minutes) puis retirez les os en même temps que la feuille de laurier avant de passer la préparation au mélangeur.

sans :

œuf

lait

soya

arachide

noix

graine de sésame

blé

poisson

mollusques

crustacés

poulet

Bouillon à fondue chinoise (suite)

Variante avec œuf : à l'époque où les œufs ne nous étaient pas interdits, nous avions l'habitude d'en casser un dans le bouillon à fondue encore chaud, lorsque tous les morceaux de viande et les légumes étaient cuits. Cela faisait une soupe exquise que nous savourions sur-le-champ lorsque nous avions encore un petit creux ou que nous conservions pour un autre repas.

sans :

œuf

lait

arachide

noix

graine de sésame

blé

poisson

mollusques

crustacés

bœuf

poulet

Sauce au curcuma pour fondue chinoise

Préparation : 5 min	Cuisson : aucune	Quantité : 160 ml (²/₃ tasse)

Le défi ? Préparer des sauces à fondue chinoise sans œufs, sans produits laitiers ni moutarde. Après bien des essais, nous avons mis au point quatre sauces dont celle-ci, au curcuma (les trois autres recettes sont reproduites dans les pages qui suivent). Nous sommes assez contents du résultat. Et vous, qu'en pensez-vous ?

> **½ gousse d'ail**
> **125 ml (½ tasse) de tofu mou à texture fine**
> **15 ml (1 c. à soupe) de sauce soya**
> **2 ml (½ c. à thé) de curcuma moulu**
> **sel et poivre**

1 Épluchez et hachez l'ail.

2 Mettez tous les ingrédients dans un bol et passez le tout au mélangeur à main.

3 Rectifiez l'assaisonnement. Laissez la sauce au réfrigérateur jusqu'au moment de servir.

BLÉ: le blé vous est interdit ? Prenez garde : plusieurs sauces soya en contiennent.

Sauce à la relish pour fondue chinoise

Préparation : 5 min	Cuisson : aucune	Quantité : 185 ml (³/₄ tasse)

Deuxième sauce…

Il va sans dire que vous pouvez remplacer la relish mentionnée dans la recette par celle de votre choix.

125 ml (¹/₂ tasse) de tofu mou à texture fine
30 ml (2 c. à soupe) de relish (p. 289)
30 ml (2 c. à soupe) de jus de citron
2 ml (¹/₂ c. à thé) d'estragon séché
sel et poivre

1 Mettez tous les ingrédients dans un bol et passez le tout au mélangeur à main.

2 Rectifiez l'assaisonnement. Laissez la sauce au réfrigérateur jusqu'au moment de servir.

sans :

œuf

lait

arachide

noix

graine de sésame

blé

poisson

mollusques

crustacés

bœuf

poulet

sans :

œuf

lait

arachide

noix

graine de sésame

blé

poisson

mollusques

crustacés

bœuf

poulet

Sauce au ketchup pour fondue chinoise

Préparation : 5 min	Cuisson : aucune	Quantité : 90 ml (6 c. à soupe)

Troisième sauce…

Nous avons un faible pour notre ketchup maison, mais votre ketchup préféré fera tout aussi bien l'affaire.

> **75 ml (5 c. à soupe) de ketchup (p. 286)**
> **15 ml (1 c. à soupe) de sauce soya**
> **sel et poivre**

1   Mettez tous les ingrédients dans un bol et passez le tout au mélangeur à main.

2   Rectifiez l'assaisonnement. Laissez la sauce au réfrigérateur jusqu'au moment de servir.

BLÉ : le blé vous est interdit ? Prenez garde : plusieurs sauces soya en contiennent.

Sauce aux fines herbes pour fondue chinoise

Préparation : 5 min	Cuisson : aucune	Quantité : 160 ml (²/₃ tasse)

Quatrième et dernière sauce…

½ **gousse d'ail**
125 ml (½ tasse) de tofu mou à texture fine
15 ml (1 c. à soupe) de jus de citron
15 ml (1 c. à soupe) de ciboulette fraîche hachée
2 ml (½ c. à thé) de romarin ou d'origan frais
sel et poivre

1 Épluchez et hachez l'ail.

2 Mettez tous les ingrédients dans un bol et passez le tout au mélangeur à main.

3 Rectifiez l'assaisonnement. Laissez la sauce au réfrigérateur jusqu'au moment de servir.

sans :

œuf

lait

arachide

noix

graine de sésame

blé

poisson

mollusques

crustacés

bœuf

poulet

Escalopes de poulet au citron

Préparation : 5 min	Cuisson : 10 min	Quantité : 4 portions

Une recette d'une grande simplicité comportant un minimum d'ingrédients. Ces escalopes peuvent être servies chaudes ou froides.

4 poitrines de poulet sans peau et désossées
3 ml (¾ c. à thé) d'origan séché
30 ml (2 c. à soupe) de jus de citron
sel et poivre

1 Coupez les poitrines de poulet en deux dans l'épaisseur. Déposez les escalopes de poulet ainsi obtenues dans une poêle à revêtement antiadhésif avec des rainures (pour un effet « barbecue »). Faites cuire à feu moyen-vif pendant 4 minutes.

2 Retournez les escalopes puis saupoudrez-les d'origan. Salez et poivrez. Poursuivez la cuisson pendant encore 3 minutes.

3 Arrosez les escalopes de jus de citron. Faites cuire 1 minute de plus.

sans :

œuf

lait

soya

arachide

noix

graine de sésame

blé

poisson

mollusques

crustacés

bœuf

Poulet aux pêches et à la mangue

| Préparation : 15 min | Cuisson : 35 min | Quantité : 4 portions |

Au menu : une note d'exotisme…

1 mangue
410 ml (1⅔ tasse) de pêches en conserve
1 oignon
1 ciboule
15 ml (1 c. à soupe) de miel
7 ml (1½ c. à thé) de gingembre moulu
3 ml (¾ c. à thé) de curcuma moulu
4 poitrines de poulet sans peau, désossées
sel et poivre

1 Préchauffez le four à 190 ºC (375 ºF).

2 Coupez la mangue en petits cubes, sans la peau (voir le truc plus bas). Égouttez les pêches. Épluchez et hachez l'oignon. Hachez la ciboule.

3 Mettez tous les ingrédients dans le bol d'un robot culinaire, à l'exception des poitrines de poulet. Mélangez jusqu'à l'obtention d'une sauce aux fruits consistante.

4 Déposez les poitrines de poulet dans un plat allant au four. Nappez celles-ci de sauce aux fruits. Utilisez une feuille de papier d'aluminium pour recouvrir le plat et faites cuire au four pendant 35 minutes.

Truc: découper une mangue en cubes est une opération fastidieuse et salissante… à moins de connaître le truc qui suit, tiré de *L'Encyclopédie visuelle des aliments*. Coupez d'abord la mangue, sans la peler, en 3 ou 4 morceaux en évitant le noyau. Avec la pointe de votre couteau, tracez un quadrillé dans la chair du fruit jusqu'à la peau. Retournez chaque morceau en poussant avec vos doigts (peau vers le haut et chair vers le bas) afin de séparer les cubes de chair. Détachez enfin ceux-ci en passant la lame de votre couteau dans la chair du fruit, le plus près possible de la peau.

sans :

œuf

lait

soya

arachide

noix

graine de sésame

blé

poisson

mollusques

crustacés

bœuf

Riz à la dinde

Préparation : 20 min	Cuisson : 40 min	Quantité : 4 portions

Il en reste ? Tant mieux ! Le riz à la dinde réchauffé, c'est presque meilleur !

250 ml (1 tasse) de riz blanc à grains longs
560 ml (2¼ tasses) d'eau
350 g (¾ lb) de poitrine de dinde, désossée
30 ml (2 c. à soupe) d'huile d'olive
1 oignon
1 gousse d'ail
2 carottes
8 champignons blancs
1 poivron vert
5 ml (1 c. à thé) d'estragon séché
10 ml (2 c. à thé) de zeste de citron
45 ml (3 c. à soupe) de sauce soya
sel et poivre

1 Mettez le riz dans un bol allant au four à micro-ondes. Ajoutez l'eau et salez. Recouvrez le bol presque entièrement avec une assiette renversée ou un autre couvercle. Faites cuire au micro-ondes en respectant les instructions apparaissant sur la boîte de riz (environ 20 minutes à puissance moyenne-élevée). Brassez de temps à autre. Retirez le bol du micro-ondes. Laissez-le recouvert pendant au moins 5 minutes.

2 Tranchez la poitrine de dinde en lanières assez épaisses. Faites chauffer 15 ml (1 c. à soupe) d'huile d'olive dans une poêle à feu moyen-vif. Ajoutez les lanières de dinde et faites cuire pendant environ 10 minutes. Réservez.

3 Épluchez puis hachez l'oignon et la gousse d'ail. Râpez les carottes, tranchez les champignons et coupez le poivron vert en dés.

4 Dans une deuxième poêle à larges rebords, faites chauffer 15 ml (1 c. à soupe) d'huile d'olive à feu moyen-vif. Ajoutez l'oignon et l'ail et faites cuire pendant 2 minutes. Incorporez ensuite les carottes, les champignons et le poivron. Poursuivez la cuisson pendant environ 5 minutes en remuant à l'occasion.

5 Ajoutez au contenu de la deuxième poêle les lanières de dinde, le riz, l'estragon, le zeste de citron, la sauce soya, le sel et le poivre. Mélangez. Poursuivez la cuisson quelques instants, le temps que le tout soit bien chaud.

BLÉ : le blé vous est interdit ? Prenez garde : plusieurs sauces soya en contiennent.

Rôti de porc

Préparation : 5 min	Cuisson : 1 h 15	Quantité : 4 portions

Voilà un plat tout simple mais d'une grande polyvalence puisqu'on peut le déguster chaud ou froid. Nous l'utilisons parfois comme base pour préparer de succulentes salades (voir, à titre d'exemple, la salade de porc et de tomates séchées, p. 136).

1 oignon
1 gousse d'ail
600 g (1¼ lb) de rôti de milieu de longe de porc
1 ml (¼ c. à thé) de marjolaine moulue
sel et poivre

1 Préchauffez le four à 160 ºC (325 ºF).

2 Mettez l'oignon, préalablement épluché et coupé en rondelles, au fond d'un plat allant au four. Épluchez puis coupez en lamelles la gousse d'ail. Avec la pointe d'un couteau, faites des incisions dans le rôti afin d'y insérer les lamelles d'ail. Déposez le rôti sur les rondelles d'oignon. Saupoudrez de marjolaine. Salez et poivrez.

3 Faites cuire au four environ 1 heure 15 minutes ou, si vous utilisez un thermo-mètre à viande, jusqu'à ce que celui-ci indique 74 ºC (165 ºF). Le rôti est cuit lorsqu'il est tendre et que la viande est de couleur blanchâtre (plutôt que rosée).

sans :

œuf

lait

soya

arachide

noix

graine de sésame

blé

poisson

mollusques

crustacés

bœuf

poulet

Rôti de porc aux dattes

Préparation : 20 min	Cuisson : 1 h 5 à 1 h 20	Quantité : 4 à 6 portions

Un solide plat de résistance que nous servons habituellement avec du couscous (p. 129) et des asperges.

2 gousses d'ail
1 petit oignon
125 ml (½ tasse) de dattes dénoyautées
600 à 800 g (1¼ à 1¾ lb) de rôti de milieu de longe de porc
30 ml (2 c. à soupe) d'huile d'olive
125 ml (½ tasse) de jus de pommes
60 ml (4 c. à soupe) de vinaigre balsamique
sel et poivre

1 Préchauffez le four à 180 ºC (350 ºF).

2 Épluchez les gousses d'ail et l'oignon. Coupez les gousses d'ail en lamelles et l'oignon en dés. Hachez les dattes. Réservez.

3 Avec la pointe d'un couteau, faites des incisions dans le rôti afin d'y insérer les lamelles d'ail. Dans une poêle contenant un peu d'huile d'olive, saisissez quelques instants le rôti sur toutes ses faces.

4 Mettez les morceaux de dattes et d'oignon dans un plat à rôtir assez profond. Ajoutez le jus de pommes, le vinaigre balsamique et l'huile d'olive restante. Salez et poivrez. Déposez le rôti sur le tout.

5 Faites cuire au four de 1 heure à 1 heure 15 minutes selon la grosseur du rôti ou, si vous utilisez un thermomètre à viande, jusqu'à ce que celui-ci indique 74 ºC (165 ºF).

6 Après la cuisson, récupérez le bouillon et passez-le au robot culinaire pour en faire une sauce homogène. Avant de servir, nappez de cette sauce le rôti découpé en tranches.

sans :

œuf

lait

soya

arachide

noix

graine de sésame

blé

poisson

mollusques

crustacés

bœuf

poulet

Filets de porc farcis

| Préparation : 20 min | Cuisson : 50 min | Quantité : 6 portions |

Un mets qui flatte les yeux tout autant que le palais.

900 g (2 lb) de filets de porc
2 gousses d'ail
10 asperges fines
¼ poivron jaune
feuilles de laurier
2 ml (½ c. à thé) de marjolaine moulue
sel et poivre

1 Préchauffez le four à 180 ºC (350 ºF).

2 Après avoir paré les filets de porc, coupez chacun d'entre eux dans le sens de la longueur afin d'en garnir l'intérieur. Mieux vaut laisser les filets attachés à une extrémité (un peu comme un livre); il sera ainsi plus facile de les fourrer.

3 Épluchez les gousses d'ail. Frottez la surface intérieure des filets avec l'une des gousses. Coupez l'autre gousse en lamelles et insérez celles-ci dans les filets après y avoir pratiqué de petites incisions.

4 Disposez les asperges à l'intérieur des filets. Ajoutez le poivron après l'avoir taillé en fines lamelles. Insérez une feuille de laurier dans chaque filet.

5 Saupoudrez les filets de marjolaine. Salez et poivrez.

6 Enveloppez chaque filet dans une feuille de papier d'aluminium. Déposez dans un plat allant au four et faites cuire environ 50 minutes.

7 Retirez les filets du four. Si vous les dégustez chauds, laissez reposer une dizaine de minutes avant de servir. Si vous les préférez froids, placez-les au réfrigérateur quelques heures. Au moment de servir, retirez les feuilles de laurier puis coupez les filets en tranches d'environ 3 cm (1¼ po) d'épaisseur.

sans :

œuf

lait

soya

arachide

noix

graine de sésame

blé

poisson

mollusques

crustacés

bœuf

poulet

Tourtière

Préparation : 40 min	Cuisson : 1 h	Quantité : 2 tourtières

L'ajout d'une patate douce à la garniture donne plus de velouté à ce plat et accroît sa valeur nutritive. La tourtière se congèle très bien.

1 grosse patate douce
2 oignons
15 ml (1 c. à soupe) d'huile d'olive
900 g (2 lb) de porc haché maigre
5 ml (1 c. à thé) de sauge séchée
2 ml (½ c. à thé) de thym séché
2 ml (½ c. à thé) de marjolaine moulue
sel et poivre
4 abaisses de pâte à tarte simple non cuites (p. 227)

1 Préchauffez le four à 180 ºC (350 ºF).

2 Pelez puis coupez en gros morceaux la patate douce. Déposez les morceaux dans une casserole. Recouvrez d'eau légèrement salée puis portez à ébullition. Couvrez et faites cuire environ 10 minutes. Retirez l'eau. Réduisez les morceaux de patate douce en purée avec un pilon. Réservez.

3 Épluchez et hachez les oignons. Faites chauffer l'huile d'olive dans une grande casserole. Faites-y cuire les oignons à feu moyen-vif jusqu'à ce qu'ils deviennent translucides (environ 3 minutes). Ajoutez le porc haché, la sauge, le thym, la marjolaine, le sel et le poivre. Poursuivez la cuisson durant 12 à 15 minutes en remuant fréquemment.

4 Incorporez la purée de patate douce à la préparation et mélangez le tout.

5 Déposez une abaisse non cuite dans un moule à tarte de façon à ce qu'elle en épouse parfaitement la forme. Coupez l'excédent de pâte sur les bords du moule. Piquez l'abaisse avec une fourchette à quelques reprises. Versez la moitié de la préparation de porc dans l'abaisse en l'étalant soigneusement. Utilisez une deuxième abaisse pour recouvrir le tout en prenant soin d'y faire au moins deux bonnes incisions. Cela permettra à la vapeur de s'échapper pendant la cuisson. Retirez l'excédent de pâte puis fermez les abaisses en en pinçant le pourtour avec vos doigts.

6 Répétez ces opérations pour préparer la deuxième tourtière.

7 Faites cuire au four environ 30 minutes ou jusqu'à ce que la croûte soit cuite et légèrement dorée.

Variante avec bœuf : remplacez le porc par un mélange moitié porc, moitié veau.

sans :

œuf

lait

arachide

noix

graine de sésame

poisson

mollusques

crustacés

bœuf

poulet

Ragoût de pattes de porc

Préparation : 45 min   Cuisson : 2 h 50   Repos : 30 min   Quantité : 8 portions

Un excellent antidote contre les coups de froid !

1 oignon
4 pattes de porc
1½ à 2 kg (3¼ à 4½ lb) de longe de porc avec les os
5 ml (1 c. à thé) de sauge séchée
2 feuilles de laurier
185 ml (¾ tasse) de farine de blé
450 g (1 lb) de porc haché
sel et poivre

1   Épluchez puis coupez en quartiers l'oignon.

2   Mettez, dans une grande casserole, les quartiers d'oignon, les pattes et la longe de porc, la sauge, les feuilles de laurier, le sel et le poivre. Versez de l'eau sur le tout jusqu'à ce que les morceaux de viande soient complètement immergés. Couvrez et portez à ébullition.

3   Réduisez le feu et laissez mijoter jusqu'à ce que la viande des pattes et de la longe se détache aisément des os (environ 2 heures). Réservez les morceaux de viande dans un plat à part. Laissez refroidir ceux-ci puis désossez. Filtrez le bouillon à l'aide d'une passoire fine (chinois) afin de ne conserver que le liquide. Dégraissez le bouillon une fois celui-ci refroidi.

4   Préparez un roux en faisant brunir à feu doux la farine dans une poêle à revêtement antiadhésif. Remuez fréquemment à l'aide d'une cuillère de bois jusqu'à ce que la farine prenne une couleur brun roux. Versez ensuite la farine dans un bol et délayez dans 185 ml (¾ tasse) d'eau froide. Cette préparation servira à épaissir le bouillon.

5   Avec vos mains, façonnez le porc haché en lui donnant la forme de petites boulettes. Remettez le bouillon dégraissé dans la casserole et ajoutez-y les boulettes de porc haché. Versez le roux délayé. Couvrez puis portez à ébullition. Réduisez le feu et faites mijoter pendant 40 minutes en couvrant à moitié. Incorporez la viande désossée. Poursuivez la cuisson pendant 5 minutes. Rectifiez l'assaisonnement.

sans :

œuf

lait

soya

arachide

noix

graine de sésame

poisson

mollusques

crustacés

bœuf

poulet

Gigot d'agneau

sans :

œuf

lait

soya

arachide

noix

graine de sésame

blé

poisson

mollusques

crustacés

bœuf

poulet

Préparation : 15 min	Cuisson : 55 min	Quantité : 4 portions

Un bon gigot d'agneau, ça se déguste en toutes saisons, peu importe l'occasion !

1 oignon
1 gousse d'ail
zeste de ¼ de citron
1 gigot d'agneau de 900 g (2 lb)
15 ml (1 c. à soupe) de romarin séché
poivre

1 Préchauffez le four à 180 ºC (350 ºF).

2 Mettez l'oignon, préalablement épluché et coupé en rondelles, au fond d'un plat allant au four. Épluchez la gousse d'ail. Prélevez le zeste de citron.

3 Frottez le gigot avec la gousse d'ail puis coupez cette dernière en lamelles. Avec la pointe d'un couteau, faites des incisions dans le gigot afin d'y insérer les lamelles d'ail et le zeste de citron. Après avoir saupoudré de romarin et de poivre toutes les faces du gigot, déposez celui-ci dans le plat allant au four, sur les rondelles d'oignon.

4 Faites cuire au four environ 55 minutes ou, si vous utilisez un thermomètre à viande, jusqu'à ce que celui-ci indique 65 ºC (150 ºF). Le centre du gigot doit demeurer rosé.

Pâté chinois

Préparation : 15 min	Cuisson : 25 min	Quantité : 8 portions

Notre interprétation d'un grand classique (qui, bien sûr, n'a rien de chinois !).
Ce plat se congèle très bien.

675 g (1½ lb) de patates douces
350 g (¾ lb) de pommes de terre
1 gros oignon
15 ml (1 c. à soupe) d'huile d'olive
900 g (2 lb) d'agneau haché
10 ml (2 c. à thé) de romarin séché
750 ml (3 tasses) de maïs en grains
sel et poivre

1 Pelez puis coupez en gros morceaux les patates douces et les pommes de terre. Mettez les morceaux de pommes de terre dans une casserole emplie d'eau bouillante légèrement salée. Faites bouillir pendant 3 minutes. Incorporez les morceaux de patates douces et poursuivez la cuisson pendant 10 minutes ou jusqu'à ce que les morceaux soient tendres (ce que vous pouvez vérifier en les piquant à l'aide d'une fourchette). Retirez la plus grande partie de l'eau de cuisson puis passez les morceaux de patates douces et de pommes de terre au mélangeur à main ou au robot culinaire jusqu'à l'obtention d'une belle purée lisse. Réservez.

2 Épluchez et hachez l'oignon. Faites chauffer l'huile d'olive dans une poêle à feu moyen-vif. Faites-y revenir l'oignon jusqu'à ce qu'il devienne translucide (environ 3 minutes). Ajoutez l'agneau haché, le romarin, le sel et le poivre. Réduisez à feu moyen et faites cuire pendant environ 15 minutes en brassant fréquemment.

3 Dans un bol, passez au mélangeur à main la moitié du maïs en grains pour en faire une crème et réservez.

4 Disposez le mélange d'agneau au fond d'un grand plat allant au four. Versez dessus la crème de maïs et les grains de maïs. Couvrez le tout avec la purée de patates douces et de pommes de terre.

5 Allumez le gril du four. Mettez le plat au four et faites légèrement griller la surface (environ 5 minutes).

Variante aux champignons : si le maïs vous est interdit, vous pouvez remplacer celui-ci par une duxelles de champignons (p. 125).

sans :

œuf

lait

soya

arachide

noix

graine de sésame

blé

poisson

mollusques

crustacés

bœuf

poulet

Hachis d'agneau

sans :

œuf

lait

soya

arachide

noix

graine de sésame

blé

poisson

mollusques

crustacés

bœuf

poulet

Préparation : 15 min	Cuisson : 25 min	Quantité : 4 portions

Un plat simple et familial que l'on peut servir notamment avec du couscous (voir p. 129).

1 gousse d'ail
1 poireau
15 ml (1 c. à soupe) d'huile d'olive
450 g (1 lb) d'agneau haché
5 ml (1 c. à thé) de romarin séché
3 pommes de terre
250 ml (1 tasse) de maïs en grains
1 poivron vert
sel et poivre

1 Épluchez et hachez l'ail. Coupez le poireau en rondelles (parties blanche et vert pâle seulement).

2 Faites chauffer l'huile d'olive dans une grande poêle à feu moyen-vif. Faites-y revenir, pendant environ 3 minutes, les morceaux d'ail et de poireau.

3 Ajoutez l'agneau haché, le romarin, le sel et le poivre. Réduisez à feu moyen et poursuivez la cuisson pendant 20 minutes.

4 Pendant ce temps, pelez les pommes de terre puis piquez-les sur tous les côtés avec un petit couteau. Déposez ensuite les pommes de terre dans un plat allant au four à micro-ondes et faites cuire, à puissance maximale, pendant 5 minutes. Incorporez les pommes de terre cuites au contenu de la poêle, après les avoir coupées en cubes.

5 Ajoutez le maïs en grains et le poivron, préalablement coupé en dés, 5 minutes avant la fin de la cuisson. Rectifiez l'assaisonnement.

Navarin d'agneau aux couleurs d'automne

Préparation : 20 min	Cuisson : 25 min	Quantité : 4 portions

Du rouge, du jaune et du vert pour évoquer la plus spectaculaire des saisons québécoises !

675 g (1½ lb) d'épaule d'agneau désossée
1 petit oignon
15 ml (1 c. à soupe) d'huile d'olive
2 ml (½ c. à thé) de thym séché
5 ml (1 c. à thé) de romarin séché
½ poivron jaune
2 ciboules
2 tomates
1 poire
8 feuilles de menthe fraîche
sel et poivre

1 Coupez l'agneau en cubes de grosseur moyenne. Épluchez et hachez l'oignon.

2 Faites chauffer l'huile d'olive dans une grande poêle à feu vif. Faites-y cuire les cubes d'agneau ainsi que l'oignon pendant 5 minutes en brassant de temps à autre. Réduisez à feu moyen-vif puis ajoutez le thym, le romarin, le sel et le poivre. Poursuivez la cuisson pendant 10 minutes. Réservez dans un plat à part.

3 Coupez le poivron jaune en dés et hachez les ciboules. Épépinez les tomates (voir, à cet égard, le truc n° 1, p. 99) puis coupez-les en dés. Coupez également la poire en dés après l'avoir pelée et évidée.

4 Faites cuire le poivron jaune et les ciboules dans la poêle, à feu vif, pendant 3 minutes. Incorporez les tomates et la poire et poursuivez la cuisson, à feu moyen-vif, pendant 3 minutes. Remettez l'agneau avec son jus dans la poêle puis ajoutez les feuilles de menthe après les avoir taillées en fines lanières. Réduisez à feu moyen et laissez mijoter quelques minutes, le temps de réchauffer l'agneau. Servez bien chaud.

sans :

œuf

lait

soya

arachide

noix

graine de sésame

blé

poisson

mollusques

crustacés

bœuf

poulet

Saucisses à la Gisèle

Préparation : 45 min	Repos : 10 min	Cuisson : 40 min	Quantité : 20 saucisses

Ah, les saucisses! Véritables boîtes de Pandore pour quiconque souffre d'allergies alimentaires, elles sont souvent à l'origine de réactions inexplicables. La solution? Toujours la même : les préparer vous-mêmes!

Vous pouvez remplacer le boulghour mentionné dans la recette par du couscous.

> **80 ml (⅓ tasse) de boulghour**
> **80 ml (⅓ tasse) de jus de tomates**
> **60 ml (4 c. à soupe) d'eau**
> **1 oignon**
> **2 gousses d'ail**
> **¾ poivron vert**
> **450 g (1 lb) d'agneau haché**
> **350 g (¾ lb) de porc haché**
> **2 ml (½ c. à thé) de romarin séché**
> **2 ml (½ c. à thé) de sarriette séchée**
> **1 ml (¼ c. à thé) de thym séché**
> **1 ml (¼ c. à thé) de marjolaine moulue**
> **3 clous de girofle**
> **125 ml (½ tasse) de chapelure (p. 211)**
> **sel et poivre**

1 Mettez le boulghour dans un petit bol. Ajoutez le jus de tomates et l'eau. Mélangez. Laissez reposer 10 minutes afin de permettre au boulghour de gonfler.

2 Épluchez et hachez finement l'oignon et les gousses d'ail. Hachez tout aussi finement le poivron vert.

3 Dans un grand bol, mettez l'oignon, l'ail, le poivron vert, l'agneau, le porc ainsi que le mélange de boulghour. Incorporez le romarin, la sarriette, le thym, la marjolaine et les clous de girofle (préalablement écrasés). Salez et poivrez.

4 Mélangez tous les ingrédients avec vos mains. Façonnez ensuite la préparation en lui donnant la forme de boulettes puis en roulant celles-ci entre les paumes de vos mains ou sur une surface de travail pour en faire des saucisses.

5 Préchauffez le four à 180 ºC (350 ºF). Versez la chapelure dans une assiette. Roulez chaque saucisse dans la chapelure afin qu'elle en soit bien enrobée. Déposez les saucisses sur une plaque à pâtisserie à revêtement antiadhésif.

Saucisses à la Gisèle (suite)

6 Faites cuire au four pendant environ 40 minutes.

Variante avec œuf: tante Gisèle incorpore un œuf battu à cette préparation pour bien lier la viande. Si vous pouvez vous le permettre, allez-y! Les saucisses n'en seront que meilleures!

Saucisses à la Ford Coppola

Préparation : 15 min	Cuisson : 15 min	Quantité : 4 portions

Il y a plusieurs années, un magazine avait publié la recette d'un plat de saucisses élaboré par le célèbre réalisateur, Francis Ford Coppola. Séduits, nous avions tout de suite adopté ce plat. Au fil des ans, nous en avons modifié la composition jusqu'à en arriver à la recette qui suit. Bien que cette dernière se distingue de plus d'une façon de l'original, elle en a, croyons-nous, conservé l'esprit.

> **1 oignon**
> **2 gousses d'ail**
> **1 poivron rouge**
> **½ poivron vert**
> **15 ml (1 c. à soupe) d'huile d'olive**
> **16 champignons blancs**
> **1 tomate**
> **8 à 12 saucisses à la Gisèle (p. 171)**
> **125 ml (½ tasse) d'olives noires dénoyautées**
> **30 ml (2 c. à soupe) de persil frais haché**
> **5 ml (1 c. à thé) d'origan séché**
> **125 ml (½ tasse) de jus de tomates**
> **125 ml (½ tasse) de vin rouge (facultatif)**
> **sel et poivre**

1 Épluchez et hachez l'oignon et les gousses d'ail. Coupez les poivrons en dés. Faites chauffer l'huile d'olive dans une grande poêle à feu moyen-vif. Faites-y cuire l'oignon, l'ail et les poivrons pendant 4 minutes.

2 Coupez les champignons en quartiers et la tomate en gros dés. Ajoutez-les au contenu de la poêle. Faites cuire le tout à feu vif pendant 3 minutes.

3 Mettez les saucisses dans la poêle après les avoir coupées en rondelles épaisses. Ajoutez les olives (préalablement égouttées), le persil, l'origan, le sel et le poivre. Versez enfin le jus de tomates et le vin.

4 Réduisez le feu et laissez mijoter pendant environ 5 minutes ou jusqu'à ce que la préparation soit bien chaude.

ŒUF : mieux vaut choisir judicieusement votre vin si vous devez éviter les œufs. Certains vins sont en effet clarifiés avec du blanc d'œuf.

sans :

œuf

lait

soya

arachide

noix

graine de sésame

poisson

mollusques

crustacés

bœuf

poulet

Bison à l'orientale

Préparation : 20 min   Repos : 30 min   Cuisson : 10 min   Quantité : 4 portions

Un effet heureux de la mondialisation !

**1 orange
450 g (1 lb) de rôti de fesse de bison
½ poivron rouge
bouquet de brocoli
2 ciboules
15 ml (1 c. à soupe) de sauce soya
5 ml (1 c. à thé) de fécule de maïs
30 ml (2 c. à soupe) de gingembre frais émincé
30 ml (2 c. à soupe) d'huile de canola
200 g (7 oz) de vermicelles de riz**

1 Pressez l'orange afin d'en extraire tout le jus. Prélevez puis hachez finement le zeste. Taillez le rôti de bison en fines lanières. Mélangez les lanières de bison, le jus et le zeste d'orange dans un récipient muni d'un couvercle. Laissez mariner pendant 30 minutes au réfrigérateur.

2 Pendant que le bison marine, découpez le poivron en fines lanières. Détachez ensuite les têtes de brocoli et émincez les queues de brocoli. Réservez.

3 Hachez les ciboules et réservez séparément.

4 Récupérez la préparation liquide utilisée pour faire mariner le bison et réservez. Dans un bol, mélangez le bison, la sauce soya, la fécule de maïs et le gingembre.

5 Faites chauffer l'huile de canola dans un wok ou une grande poêle. Saisissez les lanières de bison dans l'huile chaude jusqu'à ce qu'elles changent de couleur (environ 2 minutes). Retirez les lanières de bison et réservez.

6 Ajoutez le brocoli et le poivron rouge et poursuivez la cuisson à feu vif pendant 5 minutes. Incorporez les ciboules, la marinade et les lanières de bison. Faites cuire, en brassant constamment, jusqu'à ce que la sauce bouillonne et épaississe.

7 Faites cuire les vermicelles de riz dans une casserole d'eau bouillante pendant 3 minutes.

8 Servez le mélange de bison sur un lit de vermicelles de riz.

BLÉ : le blé vous est interdit ? Prenez garde : plusieurs sauces soya en contiennent.

sans :

œuf

lait

arachide

noix

graine de sésame

blé

poisson

mollusques

crustacés

bœuf

poulet

Lapin en papillote

sans :

œuf

lait

arachide

noix

graine de sésame

blé

poisson

mollusques

crustacés

bœuf

poulet

Préparation : 20 min	Cuisson : 1 h	Quantité : 4 portions

Vous préférez votre lapin en papillote froid? Pourquoi pas! Il suffit de le laisser refroidir, de le désosser, puis de le déposer sur un lit de laitue en l'accompagnant d'une bonne mayonnaise maison (p. 285).

1 lapin d'environ 1½ kg (3¼ lb)
45 ml (3 c. à soupe) de margarine
5 ml (1 c. à thé) de jus de citron
5 ml (1 c. à thé) de curcuma moulu
30 ml (2 c. à soupe) de persil frais haché
2 feuilles de laurier
1 ciboule
60 ml (4 c. à soupe) de jus de pommes
sel et poivre

1 Préchauffez le four à 190 ºC (375 ºF).

2 Découpez le lapin en 6 ou 8 morceaux. Pour ce faire, détachez d'abord les 4 pattes (vous pouvez couper en deux les cuisses arrière si elles sont assez grosses). Coupez ensuite le râble (il s'agit de la partie charnue qui va des côtes jusqu'à la queue) en deux.

3 Déposez une grande feuille de papier d'aluminium dans un plat allant au four. Disposez les morceaux de lapin sur cette feuille. Salez et poivrez.

4 Dans un bol, mélangez la margarine, le jus de citron, le curcuma et le persil. Étendez cette préparation sur les morceaux de lapin. Ajoutez les feuilles de laurier et la ciboule (préalablement hachée). Versez enfin le jus de pommes. Couvrez le tout avec une seconde feuille de papier d'aluminium. Scellez bien de façon à ce que le liquide ne puisse s'échapper au cours de la cuisson.

5 Faites cuire au four pendant 1 heure (soit environ 20 minutes par 450 g / 1 lb de viande). Enlevez les feuilles de laurier. Au moment de servir, arrosez les morceaux de lapin chauds avec le jus de cuisson.

LAIT : allergique aux produits laitiers? Plusieurs margarines en contiennent, aussi est-il important de lire attentivement la liste des ingrédients de celle que vous utilisez.

Peut-on, lorsqu'on est allergique au poisson, adopter comme animal de compagnie un petit poisson rouge? C'est la question qu'a posée Scott, un jeune garçon de neuf ans, à un allergologue. «Je n'y vois aucun problème», a répondu ce dernier, «à condition que tu ne le manges pas[1]». Ah!

1. Tiré du bulletin de l'Association d'information sur l'allergie et l'asthme (AIAA), *Nouvelles du Québec*, juin 2001, vol. 3, n° 1, p. 7.

POISSONS

Croquettes de thon

Préparation : 45 min	Cuisson : 35 min	Quantité : 20 croquettes

Elles sont vraiment exquises, ces petites croquettes. Mieux vaut toutefois éviter de les congeler (une fois décongelées, elles ont tendance à se défaire en morceaux).

1 patate douce
5 pommes de terre
30 ml (2 c. à soupe) de margarine
125 ml (½ tasse) de boisson de soya permise
½ oignon
1 poireau
1 poivron rouge
15 ml (1 c. à soupe) d'huile d'olive
225 g (½ lb) de thon conservé dans l'eau, égoutté
15 ml (1 c. à soupe) de ciboulette fraîche hachée
2 ml (½ c. à thé) de paprika
185 ml (¾ tasse) de chapelure (p. 211)
sel et poivre

1 Pelez puis coupez la patate douce et les pommes de terre en gros morceaux. Mettez ceux-ci dans une casserole emplie d'eau bouillante légèrement salée. Faites bouillir pendant environ 12 minutes ou jusqu'à ce que les morceaux soient tendres (ce que vous pouvez vérifier en les piquant à l'aide d'une fourchette).

2 Transférez les morceaux de patate et de pommes de terre dans un bol après avoir retiré l'eau. Ajoutez la margarine et la boisson de soya. Réduisez le tout en purée à l'aide d'un pilon. Réservez.

3 Épluchez puis hachez finement l'oignon. Hachez tout aussi finement le poireau et le poivron rouge. Faites chauffer l'huile d'olive dans une poêle à feu moyen-vif. Faites-y revenir, pendant environ 5 minutes, l'oignon, le poireau et le poivron rouge. Remuez à l'occasion.

4 Retirez les légumes du feu et mettez-les dans un grand bol. Incorporez la purée de patate douce et de pommes de terre, le thon émietté, la ciboulette, le paprika, le sel et le poivre. Mélangez.

5 Avec vos mains, façonnez la préparation en lui donnant la forme de petites saucisses légèrement aplaties. Versez la chapelure dans une assiette. Roulez chaque croquette dans la chapelure afin qu'elle en soit bien enrobée. Déposez les croquettes sur une plaque à pâtisserie à revêtement antiadhésif.

Croquettes de thon (suite)

6 Allumez le gril du four. Faites griller les croquettes jusqu'à ce que l'extérieur soit doré (environ 15 minutes). Retournez les croquettes à la mi-cuisson.

LAIT : allergique aux produits laitiers ? Plusieurs margarines en contiennent, aussi est-il important de lire attentivement la liste des ingrédients de celle que vous utilisez.

Saumon au vinaigre de vin à la framboise

Préparation : moins de 5 min	Cuisson : 10 min	Quantité : 4 portions

Ainsi apprêtés, les filets de saumon peuvent être servis chauds ou froids. Refroidis, ils sont particulièrement délicieux nappés de tzatziki (p. 97) ou de mayonnaise (p. 285).

5 ml (1 c. à thé) d'huile de canola
800 g (1¾ lb) de filets de saumon
5 ml (1 c. à thé) de sarriette séchée
10 ml (2 c. à thé) de ciboulette fraîche hachée
10 ml (2 c. à thé) de vinaigre de vin à la framboise
sel et poivre

1 Faites chauffer l'huile de canola dans une poêle à feu vif. Déposez-y les filets de saumon, peau contre la poêle. Saupoudrez de sarriette et de ciboulette. Faites cuire pendant environ 4 minutes.

2 Retournez les filets. Retirez la peau en vous servant d'une spatule et d'un couteau (normalement, cela devrait se faire très facilement). Réduisez à feu moyen-vif et poursuivez la cuisson pendant environ 2 minutes.

3 Retournez une nouvelle fois les filets. Salez, poivrez puis versez le vinaigre de vin dans la poêle. Poursuivez la cuisson pendant 1 minute. Retirez du feu et servez sans attendre.

sans :

œuf

lait

soya

arachide

noix

graine de sésame

blé

mollusques

crustacés

bœuf

poulet

Filets de truite aux olives noires

Préparation : moins de 5 min	Cuisson : 10 min	Quantité : 4 portions

Le temps de cuisson est approximatif puisqu'il varie selon l'épaisseur des filets. Comment savoir si ces derniers sont prêts ? Si leur centre est rose foncé et qu'ils se défont facilement à la fourchette sans être secs, c'est qu'ils le sont !

5 ml (1 c. à thé) d'huile d'olive
800 g (1¾ lb) de filets de truite
5 ml (1 c. à thé) d'origan séché
45 ml (3 c. à soupe) de tapenade (p. 290)
sel et poivre

1 Faites chauffer l'huile d'olive dans une poêle à feu vif. Déposez-y les filets de truite, peau contre la poêle. Saupoudrez d'origan. Faites cuire pendant environ 3 minutes.

2 Retournez les filets. Retirez la peau en vous servant d'une spatule et d'un couteau. Réduisez à feu moyen-vif et poursuivez la cuisson pendant environ 2 minutes.

3 Retournez une nouvelle fois les filets. Salez, poivrez puis étalez la tapenade en formant un long trait noir sur chaque filet. Poursuivez la cuisson pendant 1 minute. Retirez du feu et servez sans attendre.

sans :

œuf

lait

soya

arachide

noix

graine de sésame

blé

mollusques

crustacés

bœuf

poulet

Allergique au blé ? La plupart des recettes de cette section peuvent être adaptées en un tournemain afin de convenir à votre régime : il suffit de remplacer les pâtes de blé par des pâtes à base de riz, de seigle, de sarrasin ou de maïs. Le goût des pâtes de maïs, en particulier, se rapproche beaucoup de celui des pâtes de blé. Toutefois, dans le cas des pâtes de maïs, il importe de respecter religieusement le temps de cuisson indiqué sur l'emballage. Ces pâtes se décomposent en effet en une gibelotte peu appétissante si elles séjournent trop longtemps dans l'eau bouillante. D'autre part, une fois cuites, les pâtes de maïs se conservent assez mal. Il vaut donc mieux les consommer aussitôt.

Lasagnes sans fromage

sans :

œuf

lait

arachide

noix

graine de sésame

poisson

mollusques

crustacés

poulet

Préparation : 40 min	Cuisson : 1 h	Quantité : 10 portions

Étonnantes ces lasagnes : elles ont l'allure (sinon exactement le goût) de vraies ! N'hésitez pas à remplacer la sauce à la viande proposée par celle de votre choix. À cet égard, la sauce à spaghetti de grand-maman Denise (p. 187) est une excellente alternative.

Les lasagnes sans fromage se congèlent fort bien.

16 lasagnes de blé
375 ml (1½ tasse) de tofu ferme à texture fine
500 ml (2 tasses) de sauce béchamel (p. 93)

SAUCE À LA VIANDE
2 gousses d'ail
1 oignon
1 poivron vert
1 poivron rouge
12 champignons
30 ml (2 c. à soupe) d'huile d'olive
450 g (1 lb) de veau haché
810 ml (3¼ tasses) de tomates en conserve coupées en dés (sans assaisonnements)
160 ml (⅔ tasse) de pâte de tomates (sans assaisonnements)
160 ml (⅔ tasse) d'eau
5 ml (1 c. à thé) de romarin séché
7 ml (1½ c. à thé) d'origan séché
sel et poivre

1 Faites cuire les lasagnes dans une grande casserole d'eau bouillante légèrement salée en respectant le temps de cuisson indiqué sur l'emballage. Passez rapidement les lasagnes sous l'eau froide puis égouttez-les sur un linge. Réservez.

SAUCE À LA VIANDE

2 Épluchez et hachez les gousses d'ail et l'oignon. Coupez les poivrons en dés et taillez les champignons en lamelles.

3 Versez l'huile d'olive dans une grande casserole et saisissez à feu moyen les morceaux d'oignon, d'ail et de poivrons pendant environ 2 minutes. Ajoutez le veau haché et poursuivez la cuisson durant 5 minutes.

Lasagnes sans fromage (suite)

4 Incorporez les champignons. Après avoir saisi ces derniers, ajoutez les tomates, la pâte de tomates, l'eau, le romarin et 2 ml ($\frac{1}{2}$ c. à thé) d'origan. Salez et poivrez.

5 Portez à ébullition. Réduisez le feu et laissez mijoter pendant 15 minutes. Réservez.

PRÉPARATION DES LASAGNES
6 Préchauffez le four à 190 ºC (375 ºF).

7 Dans un grand plat à rôtir rectangulaire badigeonné d'huile d'olive, superposez en couches successives les lasagnes et les sauces en respectant l'ordre suivant :

1re couche : nappez le fond du plat d'un peu de sauce à la viande.

2e couche : disposez la moitié des lasagnes en les faisant se chevaucher un peu.

3e couche : versez la moitié de la sauce béchamel.

4e couche : versez la moitié de la sauce à la viande.

5e couche : répartissez sur toute la surface de minces tranches de tofu ferme.

6e couche : disposez les lasagnes restantes.

7e couche : versez le reste de la sauce à la viande.

8e couche : versez le reste de la sauce béchamel.

9e couche : séparez en petits morceaux ce qui reste du tofu et parsemez-en la surface.

8 Saupoudrez le tout de 5 ml (1 c. à thé) d'origan. Faites cuire au four pendant approximativement 30 minutes. Terminez en faisant légèrement brunir la surface.

ŒUF : les pâtes de blé fraîches, tout comme certaines pâtes de blé sèches, peuvent contenir des œufs. Comme toujours, une lecture attentive de la liste des ingrédients s'impose !

Sauce à spaghetti de grand-maman Denise

Préparation : 20 min	Cuisson : 1 h 30	Quantité : 2¾ l (11 tasses)

Éprouvée par trois générations successives, la sauce à spaghetti de grand-maman Denise a subi avec succès l'épreuve du temps. Grand-maman y ajoute parfois d'autres légumes (branches de céleri, tomates italiennes fraîches, etc.) et il nous arrive d'y mettre du maïs en grains.

La sauce à spaghetti se congèle très bien.

sans :

œuf

lait

soya

arachide

noix

graine de sésame

blé

poisson

mollusques

crustacés

bœuf

poulet

3 gousses d'ail
2 oignons
1 carotte
1 poivron rouge
1 poivron vert
12 champignons
450 g (1 lb) de porc haché
1625 ml (6½ tasses) de tomates en conserve coupées en dés (sans assaisonnements)
160 ml (⅔ tasse) de pâte de tomates (sans assaisonnements)
5 ml (1 c. à thé) de sauge séchée
5 ml (1 c. à thé) d'origan séché
2 feuilles de laurier
sel et poivre

1 Épluchez et hachez les gousses d'ail et les oignons. Émincez la carotte, les poivrons et les champignons. Réservez.

2 Faites revenir le porc haché (sans le faire brunir) dans une grande casserole à feu moyen. Lorsque le porc a perdu sa couleur rouge, ajoutez les morceaux d'ail et d'oignons et laissez cuire jusqu'à ce qu'ils deviennent translucides (environ 3 minutes). Remuez fréquemment.

3 Ajoutez les morceaux de carotte, de poivrons et de champignons. Couvrez. Laissez mijoter 15 minutes.

4 Incorporez les tomates coupées en dés, la pâte de tomates, la sauge, l'origan, les feuilles de laurier, le sel et le poivre. Mélangez. Portez à ébullition. Réduisez le feu et laissez mijoter en couvrant à moitié pendant 1 heure. Brassez de temps à autre. Rectifiez l'assaisonnement puis retirez les 2 feuilles de laurier.

Sauce marinara

Préparation : 10 min	Cuisson : 55 min	Quantité : 1¾ l (7 tasses)

La sauce marinara rehausse, en toute simplicité, le goût des pâtes. Il nous arrive également de la servir avec une courge spaghetti (voir p. 128 pour la préparation de la courge spaghetti) ou encore avec de la polenta (p. 130).

La sauce marinara se congèle très bien.

3 gousses d'ail
1 oignon
185 ml (¾ tasse) d'huile d'olive
1625 ml (6½ tasses) de tomates en conserve coupées en dés (sans assaisonnements)
160 ml (⅔ tasse) de pâte de tomates (sans assaisonnements)
10 ml (2 c. à thé) d'origan séché
sel et poivre

1 Épluchez et hachez les gousses d'ail et l'oignon.

2 Faites chauffer 45 ml (3 c. à soupe) d'huile d'olive dans une grande casserole. Ajoutez l'ail et l'oignon. Faites cuire à feu moyen-vif jusqu'à ce que l'ail et l'oignon deviennent translucides (environ 3 minutes).

3 Incorporez les tomates coupées en dés, la pâte de tomates, l'origan, le sel et le poivre. Mélangez. Laissez mijoter à feu doux en couvrant à demi pendant 45 minutes. Brassez de temps à autre.

4 Versez le restant d'huile d'olive. Mélangez puis laissez mijoter 5 minutes de plus. Passez la sauce au mélangeur à main (ou au robot culinaire) afin qu'elle devienne parfaitement homogène.

Variante avec soya : pour obtenir une sauce rosée plus « protéinée », il vous suffit d'ajouter 375 ml (1½ tasse) de tofu mou à texture fine au mélange. Incorporez le tofu en même temps que l'huile d'olive (étape 4 de la recette).

Variante avec basilic : ajoutez à la sauce, en même temps que l'huile d'olive (étape 4 de la recette), 2 cubes de pistou décongelés (p. 291).

sans :

œuf

lait

soya

arachide

noix

graine de sésame

blé

poisson

mollusques

crustacés

bœuf

poulet

Sauce rapido presto !

Préparation : 10 min   Cuisson : 10 min   Quantité : 1⅛ l (4½ tasses)

D'après la petite histoire, ce sont les filles de joie de la région de Naples qui ont inventé cette sauce dont la qualité première est d'être prête en moins de temps qu'il n'en faut pour dire amore mio. *En Italie, la sauce* alla puttanesca *(puisque tel est son nom) est devenue un classique souvent revisité... et que nous avons osé réinterpréter à notre tour.* Buon appetito !

1 gousse d'ail
1 oignon
45 ml (3 c. à soupe) d'huile d'olive
810 ml (3¼ tasses) de tomates en conserve coupées en dés
(sans assaisonnements)
45 ml (3 c. à soupe) de pâte de tomates (sans
assaisonnements)
375 ml (1½ tasse) d'olives noires dénoyautées
45 ml (3 c. à soupe) de câpres
15 ml (1 c. à soupe) de persil frais haché
5 ml (1 c. à thé) d'origan séché
5 ml (1 c. à thé) de basilic séché
sel et poivre

1 Épluchez et hachez la gousse d'ail et l'oignon.

2 Faites chauffer l'huile d'olive dans une grande poêle. Ajoutez l'ail et l'oignon. Faites cuire à feu moyen-vif jusqu'à ce que l'ail et l'oignon deviennent translucides (environ 3 minutes).

3 Incorporez les tomates coupées en dés (après les avoir égouttées), la pâte de tomates, les olives (après les avoir émincées), les câpres, le persil, l'origan, le basilic, le sel et le poivre. Mélangez. Poursuivez la cuisson à feu moyen pendant 5 minutes. Brassez de temps à autre.

Farfalle au thon

Préparation : 10 min	Cuisson : 15 min	Quantité : 5 portions

Les câpres relèvent à merveille la saveur délicate de la sauce au thon.

450 g (1 lb) de farfalle de blé
2 ciboules
¼ poivron rouge
15 ml (1 c. à soupe) d'huile d'olive
500 ml (2 tasses) de sauce béchamel (p. 93)
1 ml (¼ c. à thé) de curcuma moulu
1 ml (¼ c. à thé) d'origan séché
2 ml (½ c. à thé) d'estragon séché
225 g (½ lb) de thon conservé dans l'eau, égoutté
30 ml (2 c. à soupe) de câpres
sel et poivre

1 Faites cuire les farfalle dans une grande casserole d'eau bouillante légèrement salée en respectant le temps de cuisson indiqué sur l'emballage. Égouttez ensuite les pâtes puis passez-les rapidement sous l'eau froide. Égouttez de nouveau et réservez.

2 Pendant que les farfalle cuisent, hachez les ciboules et coupez le poivron rouge en petits morceaux. Faites chauffer l'huile d'olive dans une seconde casserole de dimension moyenne. À feu moyen-vif, faites-y revenir, pendant environ 3 minutes, les morceaux de ciboule et de poivron. Remuez à l'occasion.

3 Versez la sauce béchamel dans la seconde casserole. Incorporez le curcuma, l'origan et l'estragon. À l'aide d'une cuillère de bois, mélangez le tout. Ajoutez le thon (après l'avoir émietté avec une fourchette) et les câpres. Salez et poivrez. Mélangez de nouveau. Réservez au chaud.

4 Versez la sauce au thon sur les farfalle et servez immédiatement.

ŒUF: les pâtes de blé fraîches, tout comme certaines pâtes de blé sèches, peuvent contenir des œufs. Comme toujours, une lecture attentive de la liste des ingrédients s'impose !

sans :

œuf

lait

arachide

noix

graine de sésame

mollusques

crustacés

bœuf

poulet

Presque pesto

Préparation : moins de 5 min	Cuisson : aucune	Quantité : 160 ml (⅔ tasse)

Ce n'est pas du pesto, mais cela s'en rapproche drôlement ! Versez cette petite sauce sur des pâtes bien chaudes, ajoutez un filet d'huile d'olive, mélangez et savourez !

**125 ml (½ tasse) de haricots de soya rôtis
30 ml (2 c. à soupe) d'huile de canola
60 ml (4 c. à soupe) d'huile d'olive
3 cubes de pistou décongelés (p. 291)
sel et poivre**

1 Mettez les haricots de soya rôtis dans le bol d'un mélangeur de table. Versez l'huile de canola et 30 ml (2 c. à soupe) d'huile d'olive puis mélangez à vitesse moyenne jusqu'à ce que les haricots de soya soient réduits en petits morceaux toujours croquants (environ 1 minute).

2 Ajoutez les cubes de pistou, le reste de l'huile d'olive, le sel et le poivre. Mélangez de nouveau quelques secondes.

Variante aux olives et tomates séchées : que diriez-vous d'une salade de pâtes froides ? Mélangez les pâtes refroidies avec la préparation de presque pesto. Ajoutez 6 tomates séchées tranchées en lanières (pour réhydrater les tomates séchées, voir le truc n° 2, p. 99), 30 ml (2 c. à soupe) de tapenade (p. 290) et quelques olives noires. Mélangez de nouveau.

sans :

œuf

lait

arachide

noix

graine de sésame

blé

poisson

mollusques

crustacés

bœuf

poulet

Sauce froide aux tomates séchées

Préparation : 10 min	Cuisson : moins de 5 min	Quantité : 500 ml (2 tasses)

Nous employons habituellement cette sauce pour préparer de délicieuses salades de pâtes. Il nous arrive également de l'utiliser pour assaisonner salades vertes et crudités ou encore pour relever le goût de la volaille froide.

12 tomates séchées
1 gousse d'ail
15 champignons blancs
185 ml (¾ tasse) d'huile d'olive
45 ml (3 c. à soupe) de vinaigre balsamique
6 feuilles de basilic frais
sel et poivre

1   Réhydratez les tomates séchées si nécessaire (voir le truc n° 2, p. 99). Épluchez et hachez la gousse d'ail. Tranchez les champignons.

2   Faites chauffer 15 ml (1 c. à soupe) d'huile d'olive dans une poêle. Ajoutez l'ail et les champignons. Faites cuire à feu moyen-vif pendant environ 3 minutes.

3   Mettez dans le bol d'un mélangeur de table ou d'un robot culinaire le mélange d'ail et de champignons, les tomates séchées, le reste d'huile d'olive, le vinaigre balsamique, le basilic, le sel et le poivre. Mélangez jusqu'à l'obtention de la consistance souhaitée.

sans :

œuf

lait

soya

arachide

noix

graine de sésame

blé

poisson

mollusques

crustacés

bœuf

poulet

sans :

œuf

lait

soya

arachide

noix

graine de sésame

poisson

mollusques

crustacés

bœuf

poulet

Spirales tricolores

Préparation : 20 min	Cuisson : 10 min	Quantité : 5 portions

Une salade de pâtes froides aux couleurs de l'Italie.

> **450 g (1 lb) de spirales de blé**
> **3 ciboules**
> **1 poivron vert**
> **1 poivron rouge**
> **1 tomate**
> **4 champignons blancs**
> **6 cœurs de palmiers en conserve**
> **1 avocat**
> **185 ml (¾ tasse) de tomates en conserve coupées en dés (sans assaisonnements)**
> **60 ml (4 c. à soupe) d'huile d'olive**
> **15 ml (1 c. à soupe) de vinaigre de vin à l'estragon**
> **15 ml (1 c. à soupe) de jus de citron**
> **sel et poivre**

1 Faites cuire les spirales dans une grande casserole d'eau bouillante légèrement salée en respectant le temps de cuisson indiqué sur l'emballage. Égouttez ensuite les pâtes puis passez-les rapidement sous l'eau froide. Égouttez de nouveau et réservez.

2 Pendant que les spirales cuisent, hachez les ciboules et coupez les poivrons et la tomate en petits cubes. Émincez les champignons et les cœurs de palmiers. Réservez.

3 Mettez dans le bol d'un mélangeur de table ou d'un robot culinaire la pulpe de l'avocat, les tomates en conserve préalablement égouttées, l'huile d'olive, le vinaigre et le jus de citron. Mélangez jusqu'à l'obtention d'une sauce homogène.

4 Dans un bol à salade, mélangez les spirales et les légumes. Ajoutez la sauce, salez, poivrez et mélangez de nouveau.

ŒUF : les pâtes de blé fraîches, tout comme certaines pâtes de blé sèches, peuvent contenir des œufs. Comme toujours, une lecture attentive de la liste des ingrédients s'impose !

Les enfants élevés au sein d'une famille qui compte, parmi ses membres, au moins une personne souffrant d'allergie alimentaire saisissent généralement très bien à quel point il est crucial de lire attentivement les étiquettes des produits consommés. À preuve, le dialogue suivant, surpris par la mère de Sidney (qui n'a aucune allergie alimentaire) et d'Amerrik (allergique, entre autres choses, aux arachides et aux œufs), alors que ces derniers avaient respectivement quatre et deux ans.

Sidney : « Sais-tu ce que c'est une prison ? »

Amerrik : « Non. »

Sidney : « Une prison, c'est un endroit où tu dois aller si tu fais quelque chose de mal, comme, par exemple, si tu manges quelque chose sans lire les ingrédients avant. »

Gageons qu'Amerrik aura retenu la leçon. Sinon, sa sœur pourra toujours aller lui porter quelques sandwiches en prison…

Pâte à pizza

Préparation : 25 min	Repos : 1 h 10	Cuisson : 20 min
Quantité : 2 pâtes de 30 cm (12 po)		

Au choix, vous pouvez congeler la pâte à pizza sous forme de grosse boule et l'abaisser plus tard (voir, à cet égard, le truc de congélation, p. 228), la faire cuire sans garniture puis ajouter celle-ci par la suite (voir, à titre d'exemple, les deux recettes de garnitures qui suivent) ou la garnir avant la cuisson (le temps de cuisson variera alors selon le type de garniture).

**10 ml (2 c. à thé) de levure sèche active traditionnelle
(1 sachet de 8 g / ¼ oz)
5 ml (1 c. à thé) de sucre
330 ml (1⅓ tasse) d'eau tiède
750 ml (3 tasses) de farine de blé entier
6 ml (1¼ c. à thé) de sel
45 ml (3 c. à soupe) d'huile d'olive**

1. Dans un petit bol, mélangez la levure, le sucre et 80 ml (⅓ tasse) d'eau tiède. Recouvrez le bol et laissez reposer pendant 10 minutes. Une mousse devrait se former à la surface (si ce n'est pas le cas, c'est que votre levure n'est plus bonne).

2. Mélangez, au robot culinaire, la farine, le sel et 30 ml (2 c. à soupe) d'huile d'olive. Ajoutez la préparation à base de levure (étape 1 de la recette) puis, de façon graduelle, le reste de l'eau tiède. Mélangez jusqu'à la formation d'une boule de pâte, pas trop détrempée.

3. Pétrissez la boule de pâte ainsi obtenue sur une surface enfarinée pendant environ 5 minutes. Il s'agit essentiellement d'aplatir la pâte avec les mains, de la replier en deux puis de la saupoudrer avec un peu de farine. Répétez ces mouvements jusqu'à ce que la boule de pâte ne soit plus collante.

4. Déposez la boule de pâte dans un plat à rôtir badigeonné avec ce qui reste de l'huile d'olive. Mettez au four pendant 1 heure après avoir réglé celui-ci au degré le plus bas. À la fin de cette période, la pâte devrait avoir doublé de volume.

5. Retirez la pâte du four. Préchauffez celui-ci à 180 ºC (350 ºF).

6. Crevez la pâte avec votre poing puis divisez-la en deux boules. Pour chaque boule, procédez de la façon suivante : saupoudrez de farine la surface de travail et déposez-y une boule de pâte. À l'aide d'un rouleau à pâtisserie préalablement enfariné (sinon ça colle !), aplatissez la boule en imprimant un X dans la pâte. Étendez ensuite la pâte avec le rouleau en partant du centre

Pâte à pizza (suite)

et en rayonnant vers les extrémités. Continuez à abaisser la pâte jusqu'à l'obtention d'une forme ronde du diamètre et de l'épaisseur souhaités. Avec vos pouces, redressez le bord de la pâte pour former un bourrelet.

7 Faites cuire au four pendant 15 à 20 minutes.

Variante aux fines herbes : incorporez 5 ml (1 c. à thé) d'origan séché et 5 ml (1 c. à thé) de basilic séché dans le robot culinaire en même temps que la farine (étape 2 de la recette).

sans :

œuf

lait

arachide

noix

graine de sésame

poisson

mollusques

crustacés

bœuf

poulet

Pizza aux tomates séchées et au tofu

Préparation : 20 min   Cuisson : 15 min   Quantité : 1 pizza de 30 cm (12 po)

Le tofu remplace ici le fromage.

> ¼ **oignon rouge**
> ¼ **poivron vert**
> ¼ **poivron rouge**
> **6 champignons blancs**
> **12 tomates séchées**
> **75 ml (5 c. à soupe) de pâte de tomates (sans assaisonnements)**
> **75 ml (5 c. à soupe) de tapenade (p. 290)**
> **1 pâte à pizza cuite de 30 cm (12 po) de diamètre (p. 197)**
> **5 ml (1 c. à thé) d'origan séché**
> **185 ml (¾ tasse) de tofu mou à texture fine**
> **sel et poivre**

1 Préchauffez le four à 180 ºC (350 ºF).

2 Épluchez puis émincez l'oignon. Taillez en fines lamelles les poivrons et les champignons. Si nécessaire, réhydratez les tomates séchées (voir le truc nº 2, p. 99). Réservez.

3 Mélangez dans un bol la pâte de tomates et la tapenade. À l'aide d'une spatule, étalez cette sauce sur la pâte à pizza. Répartissez sur la pâte les morceaux d'oignon, de poivrons et de champignons ainsi que les tomates séchées. Saupoudrez le tout d'origan. Salez et poivrez.

4 Parsemez la surface de tofu mou après l'avoir émietté.

5 Faites cuire au four pendant 15 minutes.

Pizza coup de cœur

Préparation : 20 min   Cuisson : 15 min   Quantité : 1 pizza de 30 cm (12 po)

Pour les amoureux de la pizza : une garniture sans produits laitiers ni soya.

¼ oignon rouge
6 champignons blancs
1 tomate bien mûre
6 cœurs d'artichauts en conserve
3 cœurs de palmiers en conserve
75 ml (5 c. à soupe) de pâte de tomates (sans assaisonnements)
3 cubes de pistou décongelés (p. 291)
1 pâte à pizza cuite de 30 cm (12 po) de diamètre (p. 197)
5 ml (1 c. à thé) d'origan séché
3 ml (¾ c. à thé) de basilic séché
sel et poivre

1 Préchauffez le four à 180 ºC (350 ºF).

2 Épluchez puis émincez l'oignon. Taillez les champignons en fines lamelles. Coupez en tranches fines la tomate ainsi que les cœurs de palmiers et d'artichauts. Réservez.

3 Mélangez dans un bol la pâte de tomates et le pistou. À l'aide d'une spatule, étalez cette sauce sur la pâte à pizza. Répartissez sur la pâte les morceaux d'oignon, de champignons, de cœurs de palmiers, de cœurs d'artichauts et de tomate. Saupoudrez le tout d'origan et de basilic. Salez et poivrez.

4 Faites cuire au four pendant 15 minutes.

Variante sans tomates : remplacez la pâte de tomates par un volume égal de tapenade (p. 290) et supprimez la tomate fraîche.

sans :

œuf

lait

soya

arachide

noix

graine de sésame

poisson

mollusques

crustacés

bœuf

poulet

sans :

œuf

lait

soya

arachide

noix

graine de sésame

poisson

mollusques

crustacés

bœuf

poulet

Hambourgeois à la viande chevaline

| Préparation : 5 min | Cuisson : 10 min | Quantité : 4 hambourgeois |

Parce qu'elle est plus maigre que le bœuf ou l'agneau, la viande chevaline doit être cuite moins longtemps et à plus basse température.

> **450 g (1 lb) de cheval haché**
> **15 ml (1 c. à soupe) d'huile d'olive**
> **5 ml (1 c. à thé) de romarin séché**
> **2 tomates**
> **4 pains à hambourgeois (p. 208)**
> **tapenade (p. 290)**
> **quelques feuilles de laitue**
> **sel et poivre**

1 Avec vos mains, façonnez le cheval haché pour former 4 boulettes. Faites chauffer l'huile d'olive dans une poêle à feu moyen-vif. Ajoutez les boulettes et faites cuire pendant 4 minutes.

2 Retournez les boulettes. Saupoudrez de romarin. Salez et poivrez. Poursuivez la cuisson pendant 4 minutes ou jusqu'à ce que les boulettes soient entièrement cuites.

3 Coupez les tomates en tranches. Après avoir fait légèrement griller les pains à hambourgeois, tartinez-les de tapenade. Insérez les boulettes entre les moitiés de pain. Garnissez de tranches de tomate et de laitue.

Sandwich au thon

| Préparation : 20 min | Cuisson : aucune | Quantité : 4 sandwiches |

Un en-cas qui se distingue !

¼ poivron rouge
2 feuilles de basilic frais
⅓ concombre anglais
225 g (½ lb) de thon conservé dans l'eau, égoutté
60 ml (4 c. à soupe) de tapenade (p. 290)
8 tranches de pain de blé (p. 207)
sel et poivre

1 Hachez finement le poivron rouge et les feuilles de basilic. Coupez le concombre en tranches fines (environ 16).

2 Dans un bol, mélangez le thon (après l'avoir émietté à la fourchette), le poivron rouge, le basilic et la tapenade. Salez et poivrez.

3 Tartinez 4 tranches de pain de garniture au thon. Déposez sur le dessus les tranches de concombre. Salez et poivrez. Recouvrez avec les 4 autres tranches de pain.

SOYA : certaines marques de thon en conserve dans l'eau contiennent de la protéine de soya hydrolysée.

sans :

œuf

lait

soya

arachide

noix

graine de sésame

mollusques

crustacés

bœuf

poulet

Sandwich au poulet et à l'avocat

sans :

œuf

lait

soya

arachide

noix

graine de sésame

poisson

mollusques

crustacés

bœuf

Préparation : 20 min	Cuisson : aucune	Quantité : 4 sandwiches

Un autre sandwich, sans mayonnaise ni moutarde !

225 g (½ lb) de poulet cuit, refroidi
2 avocats
30 ml (2 c. à soupe) de jus de citron
15 ml (1 c. à soupe) de ciboulette fraîche hachée
8 tranches de pain de blé (p. 207)
quelques feuilles de laitue
sel et poivre

1 Coupez le poulet en fines lamelles. Réservez.

2 Dans un bol, réduisez la pulpe des avocats en purée à l'aide d'une fourchette. Versez le jus de citron et mélangez. Ajoutez la ciboulette hachée. Mélangez encore.

3 Tartinez toutes les tranches de pain de purée d'avocat. Déposez sur le dessus de 4 d'entre elles les morceaux de poulet. Salez et poivrez. Ajoutez les feuilles de laitue. Recouvrez avec les 4 autres tranches de pain.

Le grand frère d'Olivier étant allergique aux arachides, ce dernier devait éviter cet aliment à titre préventif jusqu'à ce qu'il atteigne sa cinquième année. Un jour, la mère d'Olivier (qui était alors âgé de deux ans) a entendu des bruits étranges provenant du garde-manger familial. Des «mmmmmm…», des «aaaaaah…» et autres onomatopées traduisant avec éloquence une douce volupté. Elle s'est approchée doucement et a surpris son tout-petit, assis sur le sol, en train d'engloutir avec délectation le contenu d'un pot de beurre d'arachide. Près de lui se trouvait le seau renversé dont il s'était servi pour atteindre le pot en question, dissimulé sur la plus haute tablette du garde-manger. C'est ainsi que les parents d'Olivier ont appris, beaucoup plus tôt que prévu, que celui-ci n'était pas allergique aux arachides!

Avec ou sans beurre d'arachide, Olivier le débrouillard appréciera certainement notre pain de blé maison. Sans parler des scones, du pain doré, des muffins et du gruau dont les recettes sont reproduites dans la présente section.

sans :

œuf

lait

soya

arachide

noix

graine de sésame

poisson

mollusques

crustacés

bœuf

poulet

Pain de blé

Préparation : 5 min	Cuisson : 3 h 25	Quantité : 1 pain de 675 g (1½ lb)

Possédez-vous une machine à pain ? S'il vous faut faire vous-même votre pain, c'est un achat absolument indispensable !

Selon le type d'appareil utilisé, il est possible qu'il soit nécessaire d'apporter certains ajustements à la recette de pain de blé que nous vous proposons. Surtout, ne vous découragez pas si vos premiers pains ne sont pas à la hauteur… dans tous les sens du terme ! Vous verrez, avec un peu de pratique, cela ira tout seul.

Exempt d'agents de conservation, le pain maison se conserve généralement moins longtemps que le pain vendu à l'épicerie. Selon notre expérience, la meilleure façon d'en préserver la fraîcheur consiste à le mettre dans un sac de plastique et à le laisser à la température de la pièce. Placé au réfrigérateur, il a tendance à durcir assez rapidement.

Le temps de cuisson est fourni à titre indicatif. Il peut, en effet, varier d'un appareil à l'autre.

> **310 ml (1¼ tasse) d'eau**
> **750 ml (3 tasses) de farine de blé à pain, tamisée**
> **22 ml (1½ c. à soupe) de sucre**
> **7 ml (1½ c. à thé) de sel**
> **45 ml (3 c. à soupe) d'huile de canola**
> **6 ml (1¼ c. à thé) de levure sèche active traditionnelle**

1 Versez l'eau dans le moule de la machine à pain. Incorporez ensuite la farine. Ajoutez enfin le sucre, le sel et l'huile de canola. Mettez ces derniers ingrédients près des parois du moule (voir l'étape suivante).

2 Faites un trou peu profond dans le centre de la farine et déposez-y la levure. Assurez-vous que la levure ne soit pas en contact avec l'eau, le sel ou le sucre. Un contact prématuré avec ces ingrédients pourrait empêcher le pain de lever.

3 Replacez doucement le moule dans la machine à pain et fermez le couvercle. Conformez-vous ensuite aux directives relatives à la cuisson d'un pain de blé entier (ou pain complet) de 675 g (1½ lb) fournies par le fabricant de votre appareil.

Pains à hambourgeois

Préparation : 1 h 55	Repos : 15 min	Cuisson : 15 min	Quantité : 8 pains

Des pains à hambourgeois sans graines de sésame, c'est garanti !

185 ml (¾ tasse) d'eau
375 ml (1½ tasse) de farine de blé à pain, tamisée
125 ml (½ tasse) de farine de blé tout usage avec son de blé
7 ml (1½ c. à thé) de sucre
5 ml (1 c. à thé) de sel
25 ml (5 c. à thé) d'huile de canola
5 ml (1 c. à thé) de levure sèche active traditionnelle

1 Versez l'eau dans le moule de la machine à pain. Incorporez ensuite la farine à pain et la farine tout usage. Ajoutez enfin le sucre, le sel et l'huile de canola. Mettez ces derniers ingrédients près des parois du moule.

2 Faites un trou peu profond dans le centre de la farine et déposez-y la levure. Assurez-vous que la levure ne soit pas en contact avec l'eau, le sel ou le sucre.

3 Replacez doucement le moule dans la machine à pain et fermez le couvercle. Conformez-vous ensuite aux directives relatives à la préparation d'une pâte de 450 g (1 lb) fournies par le fabricant de votre appareil.

4 Une fois le cycle de préparation de pâte terminé (avec notre machine à pain, cette opération prend 1 heure 40 minutes), retirez la pâte du moule. Façonnez la pâte afin de lui donner la forme d'un rouleau d'environ 20 cm (8 po) de long. Avec un couteau, divisez ce rouleau en 8 morceaux.

5 Placez les morceaux sur une plaque à pâtisserie à revêtement antiadhésif, recouvrez d'un linge et mettez au four pendant 15 minutes après avoir réglé celui-ci au degré le plus bas. À la fin de cette période, la pâte devrait avoir augmenté de volume, sans toutefois doubler.

6 Enlevez le linge et mettez la plaque sur la grille supérieure du four. Faites cuire à 190 ºC (375 ºF) pendant 7 minutes. Retournez les pains et poursuivez la cuisson pendant 7 minutes. Laissez refroidir un peu puis coupez les pains en deux.

sans :

œuf

lait

soya

arachide

noix

graine de sésame

poisson

mollusques

crustacés

bœuf

poulet

Scones

sans :

œuf

lait

arachide

noix

graine de sésame

poisson

mollusques

crustacés

bœuf

poulet

Préparation : 25 min	Cuisson : 20 à 25 min	Quantité : 12 scones moyens

Les scones sont parfaits au petit-déjeuner, pour la collation ou à l'heure du thé. On les sert bien chauds, tartinés de beurre ou de margarine, avec ou sans confiture de fruits.

185 ml (¾ tasse) de tofu mou à texture fine
45 ml (3 c. à soupe) de jus de citron
500 ml (2 tasses) de farine de blé à pâtisserie, tamisée
10 ml (2 c. à thé) de levure chimique (poudre à pâte)
2 ml (½ c. à thé) de bicarbonate de soude
3 ml (¾ c. à thé) de cardamome moulue
1 ml (¼ c. à thé) de sel
125 ml (½ tasse) de margarine
185 ml (¾ tasse) de raisins secs
60 ml (4 c. à soupe) de sucre
45 ml (3 c. à soupe) de compote de pommes (p. 256)
5 ml (1 c. à thé) de zeste de citron

1 Préchauffez le four à 190 ºC (375 ºF).

2 Passez le tofu mou et le jus de citron au mélangeur à main. Réservez.

3 Dans un bol, mélangez la farine de blé, la levure chimique, le bicarbonate de soude, la cardamome et le sel. Ajoutez la margarine et coupez celle-ci avec un coupe-pâte jusqu'à ce que le mélange soit grumeleux. Incorporez les raisins secs et mélangez. Réservez.

4 Dans un second bol, mélangez le sucre, la compote de pommes et le zeste de citron. Ajoutez le mélange de tofu mou et de jus de citron.

5 Incorporez dans le premier bol le contenu du second bol. Mélangez bien pour humecter toute la pâte.

6 Divisez le mélange en une douzaine de boulettes et déposez celles-ci sur une plaque à pâtisserie à revêtement antiadhésif. Donnez à chaque boulette la forme d'un gros biscuit épais.

7 Faites cuire pendant 20 à 25 minutes ou jusqu'à ce que les scones soient légèrement dorés. Laissez refroidir un peu avant de servir.

LAIT : allergique aux produits laitiers ? Plusieurs margarines en contiennent, aussi est-il important de lire attentivement la liste des ingrédients de celle que vous utilisez.

Pain doré aux bananes

Préparation : 5 min	Cuisson : 40 min	Quantité : 6 tranches

Est-ce que cela goûte le pain doré aux œufs ? Pas tout à fait. Est-ce que c'est bon ? Et comment ! Surtout si vous utilisez des bananes très mûres (les bananes plus vertes donnent au pain doré un arrière-goût un peu âpre).

Le pain doré aux bananes se savoure bien chaud, idéalement arrosé d'un filet de sirop d'érable.

2 bananes bien mûres
375 ml (1½ tasse) de boisson de soya permise
1 ml (¼ c. à thé) de cannelle moulue
1 ml (¼ c. à thé) de vanille
30 ml (2 c. à soupe) d'huile de canola
6 tranches de pain de blé (p. 207)

1 Mélangez au robot culinaire les bananes (préalablement tranchées), la boisson de soya, la cannelle et la vanille. Versez le mélange ainsi obtenu dans un bol. Réservez.

2 Faites chauffer à feu moyen 5 ml (1 c. à thé) d'huile de canola dans une poêle. Faites tremper une première tranche de pain dans la préparation liquide de façon à ce qu'elle soit bien imbibée des deux côtés. Déposez la tranche dans la poêle et faites cuire environ 3 minutes de chaque côté. Réservez au chaud.

3 Faites cuire les autres tranches de pain de la même manière en rajoutant dans la poêle 5 ml (1 c. à thé) d'huile de canola chaque fois.

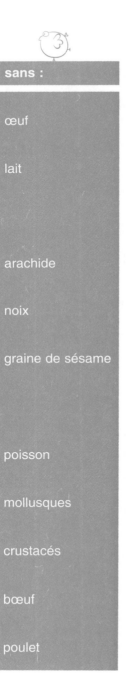

sans :

œuf

lait

arachide

noix

graine de sésame

poisson

mollusques

crustacés

bœuf

poulet

sans :

œuf

lait

soya

arachide

noix

graine de sésame

poisson

mollusques

crustacés

bœuf

poulet

Chapelure

Préparation : moins de 5 min   Cuisson : moins de 5 min   Quantité : 125 ml (¹⁄₂ tasse)

Vous ne parvenez pas à vous procurer de la chapelure commerciale répondant aux exigences de votre régime ? Il n'y a aucune raison de vous en passer ; il est si facile d'en préparer à la maison !

Nous employons, pour faire notre chapelure, notre pain de blé de tous les jours. Votre pain habituel fera sans doute aussi bien l'affaire.

2 tranches de pain de blé (p. 207)

1 Allumez le gril du four.

2 Coupez deux tranches de pain très, très minces. Déposez-les sur une plaque à pâtisserie à revêtement antiadhésif. Faites griller au four jusqu'à ce que le pain soit doré (en pratique, pas plus de 1 minute chaque côté).

3 Retirez du four. Pour émietter les tranches de pain grillées, passez-les au mélangeur de table ou au robot culinaire.

Muffins aux fraises et canneberges

Préparation : 15 min	Cuisson : 25 min	Quantité : 12 muffins moyens

Inhabituel, le mélange fraises et canneberges confère à ces muffins un petit goût aigre-doux fruité mais pas trop sucré. C'est notre fils qui a eu l'idée charmante de décorer d'une canneberge chacun des muffins.

500 ml (2 tasses) de farine de blé à pâtisserie, tamisée
125 ml (½ tasse) de flocons d'avoine
75 ml (5 c. à soupe) de sucre
5 ml (1 c. à thé) de bicarbonate de soude
1 ml (¼ c. à thé) de sel
60 ml (4 c. à soupe) d'huile de canola
125 ml (½ tasse) de compote de pommes (p. 256)
185 ml (¾ tasse) de gelée de canneberges (p. 281)
250 ml (1 tasse) de jus de pommes
250 ml (1 tasse) de fraises fraîches ou décongelées, coupées en tranches ou en quartiers
une douzaine de canneberges fraîches ou décongelées

1 Préchauffez le four à 200 ºC (400 ºF).

2 Dans un premier bol, mélangez la farine de blé, les flocons d'avoine, le sucre, le bicarbonate de soude et le sel. Dans un second bol, mélangez l'huile de canola, la compote de pommes, la gelée de canneberges et le jus de pommes.

3 Incorporez le mélange liquide au mélange sec. Mélangez bien. Ajoutez les fraises et mélangez de nouveau.

4 Répartissez le mélange dans un moule à muffins graissé. Déposez une canneberge sur le dessus de chaque muffin et faites cuire 25 minutes.

5 Laissez refroidir et démoulez.

sans :

œuf

lait

soya

arachide

noix

graine de sésame

poisson

mollusques

crustacés

bœuf

poulet

sans :

œuf

lait

soya

arachide

noix

graine de sésame

poisson

mollusques

crustacés

bœuf

poulet

Muffins à la citrouille et aux raisins secs

Préparation : 15 min	Cuisson : 20 min	Quantité : 12 muffins moyens

Les carottes ayant longtemps été interdites de séjour chez nous en raison d'une allergie, nous avons accordé une bonne place dans notre alimentation aux citrouilles, riches en carotène. Maintenant que nous pouvons, de nouveau, manger des carottes (hip, hip, hip !), nous avons conservé les citrouilles… parce que nous en aimons le goût, tout simplement ! Voici une autre façon de les apprêter.

> **500 ml (2 tasses) de farine de blé à pâtisserie, tamisée**
> **125 ml (½ tasse) de sucre**
> **5 ml (1 c. à thé) de bicarbonate de soude**
> **2 ml (½ c. à thé) de cannelle moulue**
> **1 ml (¼ c. à thé) de muscade moulue**
> **45 ml (3 c. à soupe) d'huile de canola**
> **250 ml (1 tasse) de jus de pommes**
> **185 ml (¾ tasse) de purée de citrouille (truc n° 2, p. 114)**
> **125 ml (½ tasse) de raisins secs**

1 Préchauffez le four à 200 ºC (400 ºF).

2 Dans un premier bol, mélangez la farine de blé, le sucre, le bicarbonate de soude, la cannelle et la muscade. Dans un second bol, mélangez l'huile de canola, le jus de pommes et la purée de citrouille.

3 Incorporez le mélange liquide au mélange sec. Mélangez bien. Ajoutez les raisins secs et mélangez de nouveau.

4 Répartissez le mélange dans un moule à muffins graissé et faites cuire 20 minutes.

5 Laissez refroidir puis démoulez.

SOYA : allergique au soya ? Assurez-vous que les raisins secs utilisés ne contiennent pas d'huile végétale hydrogénée provenant du soya.

Muffins aux bleuets

Préparation : 20 min   Cuisson : 20 min   Quantité : 30 petits muffins

Vous pouvez, bien sûr, remplacer les bleuets par d'autres fruits (fraises, framboises, poires, etc.).

500 ml (2 tasses) de farine de blé à pâtisserie, tamisée
75 ml (5 c. à soupe) de sucre
5 ml (1 c. à thé) de bicarbonate de soude
1 ml (¼ c. à thé) de sel
45 ml (3 c. à soupe) d'huile de canola
125 ml (½ tasse) de compote de pommes (p. 256)
250 ml (1 tasse) de jus de pommes
250 ml (1 tasse) de bleuets frais ou décongelés

1   Préchauffez le four à 200 ºC (400 ºF).

2   Dans un premier bol, mélangez la farine de blé, le sucre, le bicarbonate de soude et le sel. Dans un second bol, mélangez l'huile de canola, la compote de pommes et le jus de pommes.

3   Incorporez le mélange liquide au mélange sec. Mélangez bien. Ajoutez les bleuets et mélangez de nouveau.

4   Répartissez le mélange dans des moules à petits muffins graissés et faites cuire 20 minutes.

5   Laissez refroidir puis démoulez.

sans :

œuf

lait

soya

arachide

noix

graine de sésame

poisson

mollusques

crustacés

bœuf

poulet

sans :

œuf

lait

soya

arachide

noix

graine de sésame

blé

poisson

mollusques

crustacés

bœuf

poulet

Gruau super nourrissant

Préparation : 5 min	Cuisson : 15 min	Quantité : 2 l (8 tasses)

Un plat de choix pour un petit-déjeuner énergisant ! Ce gruau se conserve sans problème au congélateur. Une petite suggestion : subdivisez-le en portions individuelles avant de le congeler.

250 ml (1 tasse) de dattes dénoyautées
250 ml (1 tasse) de raisins secs
250 ml (1 tasse) de jus de pommes
1½ l (6 tasses) d'eau
750 ml (3 tasses) de flocons d'avoine (à cuisson rapide)

1 Dans un bol pouvant aller au four à micro-ondes, mettez les dattes et les raisins secs. Ajoutez le jus de pommes puis faites cuire le tout au micro-ondes à puissance maximale pendant 5 minutes. Réduisez ensuite le mélange en purée à l'aide d'un robot culinaire.

2 Dans une grande casserole, portez l'eau à ébullition. Versez les flocons d'avoine dans l'eau bouillante. Laissez mijoter à feu moyen durant 5 minutes en remuant de temps à autre.

3 Incorporez la purée de fruits au gruau. Laissez mijoter pendant 2 minutes de plus.

SOYA : allergique au soya ? Assurez-vous que les raisins secs utilisés ne contiennent pas d'huile végétale hydrogénée provenant du soya.

C'est bien connu, les crêpes et les gaufres font bon ménage avec le sirop d'érable. Sachant que certains sirops peuvent contenir des traces d'œuf ou de produits laitiers, nous avons choisi le nôtre avec grand soin. Appels téléphoniques à divers producteurs, explications, vérifications, contre-vérifications... nos démarches pour dénicher le précieux nectar se sont échelonnées sur plusieurs jours. Nos efforts ont finalement été couronnés de succès et, après un trajet en voiture de quelques kilomètres, nous avons enfin pu récupérer notre butin : une douzaine de boîtes de sirop d'érable tout à fait sûr. De retour à la maison, alors que nous rangions le sirop, notre fils s'est emparé de la boîte de carton qui avait servi à le transporter. S'en coiffant comme d'un chapeau, il s'est mis à déambuler dans la maison pour notre plus grand amusement... jusqu'à ce qu'il retire la boîte. Son visage était couvert d'urticaire ! Dieu sait ce que cette boîte avait pu contenir auparavant !

Nous avons tiré une conclusion de cet incident (qui n'a eu aucune suite dramatique) : on ne peut pas toujours tout prévoir...

Crêpes

Préparation : 5 min	Cuisson : 20 min	Quantité : 10 crêpes

sans :

œuf

lait

arachide

noix

graine de sésame

poisson

mollusques

crustacés

bœuf

poulet

Bannir les œufs, d'accord, mais renoncer aux crêpes ? Jamais ! Nous garnissons habituellement les nôtres de compotes ou de confitures de fruits maison, les roulons puis versons sur chacune un filet de sirop d'érable avant de les déguster, bien chaudes, au petit-déjeuner. Festif !

Ces crêpes se conservent au réfrigérateur, mais il vaut mieux les manger le jour même : dès le lendemain, elles sont déjà moins moelleuses.

> 500 ml (2 tasses) de farine de blé à pâtisserie, tamisée
> 1 ml (¼ c. à thé) de bicarbonate de soude
> 1 pincée de sel
> 185 ml (¾ tasse) de boisson de soya permise
> 375 ml (1½ tasse) d'eau
> 60 ml (4 c. à soupe) d'huile de canola

1 Dans un bol, mélangez la farine, le bicarbonate de soude et le sel.

2 Ajoutez la boisson de soya et l'eau. Mélangez le tout avec un fouet de façon à ce que la pâte devienne lisse et sans grumeaux.

3 Faites chauffer une poêle à revêtement antiadhésif de format moyen enduite d'un peu d'huile de canola (environ 5 ml / 1 c. à thé par crêpe). Faites-y cuire les crêpes à feu vif des deux côtés. Empilez les crêpes dans une assiette au fur et à mesure qu'elles sont cuites en les recouvrant, si possible, afin qu'elles demeurent chaudes jusqu'au moment de servir.

Variante sans soya : la boisson de soya peut notamment être remplacée par un volume égal d'eau ou de boisson de riz permise.

Variante mélange de farines : vous pouvez remplacer la farine proposée par un mélange moitié farine de blé entier et moitié farine tout usage avec son de blé. Il vous faudra alors augmenter un peu le volume de liquide utilisé. Par contre, si vous substituez à la farine suggérée de la farine blanche tout usage, vous obtiendrez… de la colle !

Crêpes au chocolat

Préparation : 5 min	Cuisson : 20 min	Quantité : 10 crêpes

Un dessert charmant et convivial : roulez les crêpes au chocolat puis disposez-les dans une grande assiette comme autant de rayons. Au centre de l'assiette, placez un bol empli de sauce au chocolat (p. 249). Mettez enfin à la disposition de vos convives un assortiment de fruits frais (fraises, bleuets, framboises, etc.). Chacun pourra ainsi composer sa crêpe à sa guise. Bon appétit !

> **375 ml (1½ tasse) de farine de blé à pâtisserie, tamisée**
> **60 ml (4 c. à soupe) de cacao**
> **1 ml (¼ c. à thé) de bicarbonate de soude**
> **1 pincée de sel**
> **185 ml (¾ tasse) de boisson de soya permise**
> **250 ml (1 tasse) d'eau**
> **60 ml (4 c. à soupe) d'huile de canola**

1 Dans un bol, mélangez la farine, le cacao, le bicarbonate de soude et le sel.

2 Ajoutez la boisson de soya et l'eau. Mélangez le tout avec un fouet de façon à ce que la pâte devienne lisse et sans grumeaux.

3 Faites chauffer une poêle à revêtement antiadhésif de format moyen enduite d'un peu d'huile de canola (environ 5 ml / 1 c. à thé par crêpe). Faites-y cuire les crêpes à feu vif des deux côtés. Empilez les crêpes dans une assiette au fur et à mesure qu'elles sont cuites en les recouvrant, si possible, afin qu'elles demeurent chaudes jusqu'au moment de servir.

LAIT : plusieurs marques de cacao contiennent (ou peuvent contenir) des traces de produits laitiers. N'hésitez pas à communiquer avec le manufacturier pour obtenir des précisions.

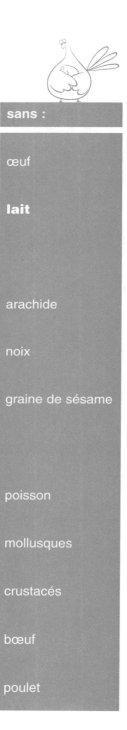

sans :

œuf

lait

arachide

noix

graine de sésame

poisson

mollusques

crustacés

bœuf

poulet

sans :

œuf

lait

soya

arachide

noix

graine de sésame

poisson

mollusques

crustacés

bœuf

poulet

Galettes de sarrasin

Préparation : 5 min	Cuisson : 20 min	Quantité : 10 galettes

Ces galettes sont à leur meilleur lorsqu'elles sont garnies d'une préparation salée (jambon, sauce béchamel, asperges, champignons, etc.). Accompagnez-les d'un bol de cidre et vous vous croirez en Normandie !

250 ml (1 tasse) de farine de blé à pâtisserie, tamisée
250 ml (1 tasse) de farine de sarrasin
1 ml (¼ c. à thé) de bicarbonate de soude
2 ml (½ c. à thé) de levure chimique (poudre à pâte)
1 pincée de sel
250 ml (1 tasse) de boisson de riz permise
375 ml (1½ tasse) d'eau
60 ml (4 c. à soupe) d'huile de canola

1 Dans un bol, mélangez la farine de blé, la farine de sarrasin, le bicarbonate de soude, la levure chimique et le sel.

2 Ajoutez la boisson de riz. Mélangez le tout avec un fouet en ajoutant progressivement l'eau jusqu'à ce que la pâte devienne lisse et sans grumeaux.

3 Faites chauffer une poêle à revêtement antiadhésif de format moyen enduite d'un peu d'huile de canola (environ 5 ml / 1 c. à thé par galette). Faites-y cuire les galettes à feu vif des deux côtés. Empilez les galettes dans une assiette au fur et à mesure qu'elles sont cuites en les recouvrant, si possible, afin qu'elles demeurent chaudes jusqu'au moment de servir.

Variante avec soya : la boisson de riz peut notamment être remplacée par un volume égal de boisson de soya permise.

Gaufres aux pommes

Préparation : 20 min   Cuisson : 20 min   Quantité : 12 gaufres moyennes

Oh, les beaux petits matins ! Une bonne gaufre bien chaude avec un soupçon de margarine (ou de beurre si vous pouvez vous le permettre) et du sirop d'érable. Mmmmmm... À moins que vous ne préfériez votre gaufre nappée de sauce au chocolat, garnie de petits fruits et servie comme dessert ? Évidemment, vous aurez besoin d'un gaufrier. C'est un achat dont nous nous réjouissons toutes les fois que l'envie d'une gaufre maison nous chatouille l'estomac (et cela se produit assez souvent !).

Pour préparer nos gaufres, nous employons de la farine de blé à pâtisserie tamisée ou de la farine de blé entier. Nous obtenons, dans les deux cas, d'excellents résultats. La farine blanche tout usage, par contre, est hautement déconseillée.

Les gaufres aux pommes se conservent au réfrigérateur pendant quelques jours et peuvent également être congelées. Il suffit de les mettre au grille-pain, tout juste avant de servir.

Les mentions relatives au temps de cuisson et à la quantité de gaufres sont fournies à titre purement indicatif : ces données varient en effet selon le type de gaufrier utilisé.

> **500 ml (2 tasses) de farine de blé à pâtisserie, tamisée**
> **30 ml (2 c. à soupe) de sucre**
> **10 ml (2 c. à thé) de bicarbonate de soude**
> **2 ml (½ c. à thé) de sel**
> **45 ml (3 c. à soupe) de margarine**
> **1 ml (¼ c. à thé) de vanille**
> **1 ml (¼ c. à thé) de cannelle moulue**
> **500 ml (2 tasses) d'eau**
> **2 pommes**

1 Dans un bol, mélangez la farine, le sucre, le bicarbonate de soude et le sel.

2 Incorporez la margarine, la vanille, la cannelle et l'eau. Mélangez le tout avec un fouet.

3 Ajoutez les pommes à la préparation après les avoir pelées et coupées en fines lamelles. Mélangez de nouveau.

4 Versez la quantité requise de pâte dans un gaufrier préchauffé. Fermez le gaufrier et faites cuire pendant le temps prescrit ou jusqu'à ce que les gaufres soient dorées. Conformez-vous, à cet égard, au mode d'emploi joint

sans :

œuf

lait

arachide

noix

graine de sésame

poisson

mollusques

crustacés

bœuf

poulet

Gaufres aux pommes (suite)

à votre gaufrier. Par exemple, notre gaufrier permet de préparer 4 gaufres moyennes à la fois. Il s'agit de verser 310 ml (1¼ tasse) de pâte et de la faire cuire pendant environ 6 minutes.

5 Retirez les gaufres du gaufrier. Faites cuire le reste de la pâte à gaufres de la même manière.

LAIT : allergique aux produits laitiers ? Plusieurs margarines en contiennent, aussi est-il important de lire attentivement la liste des ingrédients de celle que vous utilisez.

Gaufres à la banane

Préparation : 10 min	Cuisson : 20 min	Quantité : 10 gaufres moyennes

Les gaufres à la banane ont l'avantage non négligeable d'être dépourvues de soya. Elles se conservent au réfrigérateur pendant quelques jours et peuvent également être congelées.

Le temps de cuisson et la quantité obtenue peuvent varier selon le type de gaufrier utilisé.

375 ml (1½ tasse) de farine de blé à pâtisserie, tamisée
125 ml (½ tasse) de flocons d'avoine
10 ml (2 c. à thé) de levure chimique (poudre à pâte)
3 ml (¾ c. à thé) de cannelle moulue
1 ml (¼ c. à thé) de muscade moulue
500 ml (2 tasses) d'eau
30 ml (2 c. à soupe) d'huile de canola
1 ml (¼ c. à thé) de vanille
1 banane bien mûre

1 Dans un bol, mélangez la farine de blé, les flocons d'avoine, la levure chimique, la cannelle et la muscade.

2 Ajoutez l'eau, l'huile de canola, la vanille et la banane après l'avoir réduite en purée avec une fourchette. Mélangez le tout avec un fouet.

3 Versez la quantité requise de pâte dans un gaufrier préchauffé. Fermez le gaufrier et faites cuire pendant le temps prescrit ou jusqu'à ce que les gaufres soient dorées. Conformez-vous, à cet égard, au mode d'emploi joint à votre gaufrier.

4 Retirez les gaufres du gaufrier. Faites cuire le reste de la pâte à gaufres de la même manière.

sans :

œuf

lait

soya

arachide

noix

graine de sésame

poisson

mollusques

crustacés

bœuf

poulet

Qu'y a-t-il pour dessert? Mmmmmm… de succulentes tartes aux fruits, des gâteaux bien moelleux nappés de glaçages onctueux, des croustillants craquants, des sauces veloutées… À moins que vous ne préfériez la riche saveur d'une fondue au chocolat, le goût délicat d'une mousse, la voluptueuse fraîcheur d'une crème glacée ou le parfum subtil d'un sorbet?

Quoi? Vous salivez déjà?

Pâte à tarte simple

| sans : | Préparation : 30 min | Cuisson : aucune | Repos : 2 h ou plus | Quantité : 5 abaisses |

Pas évident de faire soi-même de la pâte à tarte ? Comme bien d'autres choses, cela s'apprend. Et puis, la pâte se congèle bien. Vous pouvez donc la préparer à l'avance, la congeler sous forme de grosse boule et l'abaisser plus tard, selon vos besoins.

Cette première recette de pâte convient aux tartes sucrées aussi bien que salées.

> **875 ml (3$\frac{1}{2}$ tasses) de farine de blé à pâtisserie, tamisée**
> **250 ml (1 tasse) de farine de blé blanche tout usage, tamisée**
> **15 ml (1 c. à soupe) de sel**
> **500 ml (2 tasses) de shortening végétal**
> **280 ml (1 tasse et 2 c. à soupe) d'eau très froide**

1 Dans un grand bol, mélangez la farine à pâtisserie, la farine tout usage et le sel. Ajoutez le shortening en le coupant grossièrement avec un coupe-pâte (ou, à défaut, avec un couteau) jusqu'à ce qu'il soit bien incorporé au mélange de farine et de sel (vous obtiendrez un mélange d'aspect grumeleux).

2 Versez l'eau sur le tout et continuez à mélanger avec le coupe-pâte ou une solide cuillère de bois jusqu'à ce que l'eau soit complètement absorbée. Avec vos mains, pétrissez légèrement la pâte afin de vous assurer que les ingrédients soient bien mélangés puis façonnez la pâte en une grosse boule.

3 La pâte est prête à être roulée, mais votre tâche sera facilitée si, après l'avoir déposée dans un bol recouvert d'une pellicule plastique, vous la laissez reposer au réfrigérateur quelques heures (voire toute la nuit) avant de l'abaisser.

4 Divisez la pâte en 5 parties. Pour chaque partie, procédez de la façon suivante : saupoudrez de farine une surface bien propre et déposez-y une boule de pâte. À l'aide d'un rouleau à pâtisserie préalablement enfariné, aplatissez la boule en imprimant un X dans la pâte. Étendez ensuite la pâte avec le rouleau en partant du centre et en rayonnant vers les extrémités. Continuez à abaisser la pâte jusqu'à l'obtention d'une forme ronde de l'épaisseur et du diamètre souhaités. Évitez tout de même de trop rouler la pâte, sans quoi celle-ci risque d'être dure.

Pâte à tarte simple (suite)

Truc : pour éviter que la pâte non cuite s'assèche pendant la congélation (ce qui la rendrait plus difficile à abaisser), déposez-la dans un sac à congélation après l'avoir façonnée sous forme de grosse boule puis, à l'aide d'une paille, aspirez l'air se trouvant dans le sac de façon à faire le vide autour de la pâte. Il vaut mieux faire décongeler la pâte lentement au réfrigérateur mais, si le temps vous manque, vous pouvez toujours utiliser le four à micro-ondes à cette fin. Dans ce dernier cas, 2 minutes (plus ou moins selon la dimension de la boule) devraient suffire pour faire décongeler la pâte sans qu'elle se réchauffe.

sans :

œuf

lait

arachide

noix

graine de sésame

poisson

mollusques

crustacés

bœuf

poulet

Pâte à tarte sucrée

Préparation : 25 min   Cuisson : aucune   Repos : 2 h ou plus   Quantité : 6 abaisses

Cette seconde recette de pâte permet de préparer de succulents desserts (voir, à titre d'exemple, la tourte aux framboises à la p. 232).

> 1¼ l (5 tasses) de farine de blé à pâtisserie, tamisée
> 30 ml (2 c. à soupe) de levure chimique (poudre à pâte)
> 15 ml (1 c. à soupe) de sel
> 75 ml (5 c. à soupe) de sucre glace
> 560 ml (2¼ tasses) de shortening végétal
> 310 ml (1¼ tasse) d'eau très froide

1   Dans un grand bol, mélangez la farine, la levure chimique, le sel ainsi que le sucre glace. Ajoutez le shortening en le coupant grossièrement avec un coupe-pâte ou un couteau jusqu'à ce qu'il soit bien incorporé au mélange.

2   Versez l'eau sur le tout et continuez à mélanger avec le coupe-pâte ou une solide cuillère de bois jusqu'à ce que l'eau soit complètement absorbée. Pétrissez légèrement la pâte avec vos mains afin que les ingrédients soient bien mélangés puis façonnez la pâte en une grosse boule.

3   Si possible, laissez reposer la pâte quelques heures au réfrigérateur après l'avoir déposée dans un bol recouvert d'une pellicule plastique.

4   Divisez la pâte en 6 parties. Abaissez chaque partie selon la méthode décrite à l'étape 4 de la recette de pâte à tarte simple (p. 227).

Tarte aux pommes et à l'érable

Préparation : 20 min	Cuisson : 35 min	Quantité : 1 tarte

Mmmmmmm....

6 pommes
30 ml (2 c. à soupe) de cassonade
2 abaisses de pâte à tarte simple non cuites (p. 227)
1 ml (¼ c. à thé) de cannelle moulue
45 ml (3 c. à soupe) de sirop d'érable

1 Préchauffez le four à 190 ºC (375 ºF).

2 Pelez puis coupez les pommes en gros morceaux. Dans un bol allant au four à micro-ondes, mélangez les morceaux de pommes et la cassonade. Faites cuire le tout au micro-ondes à puissance maximale pendant 5 minutes. Réservez.

3 Déposez une abaisse non cuite dans un moule à tarte de façon à ce qu'elle en épouse parfaitement la forme. Coupez l'excédent de pâte sur les bords du moule. Piquez l'abaisse avec une fourchette à quelques reprises.

4 À l'aide d'une cuillère à égoutter, transférez les morceaux de pommes (sans le jus) dans l'abaisse. Étalez soigneusement les fruits, saupoudrez de cannelle puis arrosez de sirop d'érable.

5 Utilisez la seconde abaisse pour recouvrir le tout en prenant soin d'y faire quatre incisions. Retirez l'excédent de pâte puis fermez les abaisses en en pinçant le pourtour avec vos doigts.

6 Faites cuire au four environ 30 minutes ou jusqu'à ce que la croûte soit cuite et légèrement dorée.

ŒUF ET LAIT : attention au sirop d'érable utilisé si vous devez proscrire les œufs ou le lait. Certains sirops peuvent, en effet, contenir des traces de ces aliments.

sans :

œuf

lait

arachide

noix

graine de sésame

poisson

mollusques

crustacés

bœuf

poulet

Tarte aux fraises et à la rhubarbe

Préparation : 20 min	Cuisson : 40 min	Quantité : 1 tarte

Un grand classique.

sans :

œuf

lait

arachide

noix

graine de sésame

poisson

mollusques

crustacés

bœuf

poulet

3 à 4 tiges de rhubarbe fraîche ou décongelée
(environ 500 ml / 2 tasses de rhubarbe coupée en morceaux)
500 ml (2 tasses) de fraises fraîches ou décongelées
125 ml (½ tasse) de sucre
30 ml (2 c. à soupe) de farine de blé
2 abaisses de pâte à tarte simple non cuites (p. 227)

1 Préchauffez le four à 190 ºC (375 ºF).

2 Pelez la rhubarbe si nécessaire (c'est inutile si la rhubarbe est jeune et que sa peau est tendre) puis coupez-la en morceaux d'environ 2,5 cm (1 po). Équeutez les fraises fraîches. Coupez en deux les plus grosses fraises.

3 Dans un bol allant au four à micro-ondes, mélangez la rhubarbe, les fraises (en éliminant le jus si elles sont décongelées), le sucre et la farine. Faites cuire le tout au micro-ondes à puissance maximale pendant 7 minutes. Réservez.

4 Déposez une abaisse non cuite dans un moule à tarte de façon à ce qu'elle en épouse parfaitement la forme. Coupez l'excédent de pâte sur les bords du moule. Piquez l'abaisse avec une fourchette à quelques reprises. Versez la garniture de fruits dans l'abaisse en l'étalant soigneusement.

5 Taillez à même la seconde abaisse une série de lanières. Disposez ces lanières sur le dessus de la tarte pour obtenir un effet de damier (4 ou 5 lanières à l'horizontale et autant à la verticale).

6 Faites cuire au four environ 30 minutes ou jusqu'à ce que la croûte soit cuite et légèrement dorée.

Tourte aux framboises

Préparation : 30 min	Cuisson : 1 h	Quantité : 1 tourte

Une année, nous avons décidé de remplacer la traditionnelle galette des rois (vous savez, ce savoureux dessert qui contient des amandes, des œufs, des produits laitiers...) par cette tourte. Plutôt que d'y dissimuler des haricots ou des pois (qui nous sont interdits), nous avons introduit, dans l'ouverture pratiquée au centre de la tourte, deux petites couronnes brillantes faites de papier d'aluminium (nous avons attendu, pour ce faire, que la tourte soit cuite). Pas très orthodoxe ? Sans doute ! Mais qui s'en soucie du moment que la fête est réussie ?

> **1 l (4 tasses) de framboises fraîches ou décongelées**
> **250 ml (1 tasse) de sucre**
> **15 ml (1 c. à soupe) de farine de blé**
> **3 abaisses de pâte à tarte sucrée non cuites (p. 229)**
> **15 ml (1 c. à soupe) de sucre glace**

1 Préchauffez le four à 160 ºC (325 ºF).

2 Dans un bol, mélangez les framboises, le sucre et la farine. Réservez.

3 Déposez une abaisse non cuite dans un moule à tarte assez profond (rebords de 5 cm / 2 po ou plus) de façon à ce qu'elle en couvre complètement le fond et les rebords. Coupez, s'il y a lieu, l'excédent de pâte sur les bords du moule. Piquez l'abaisse avec une fourchette à quelques reprises.

4 Versez la moitié de la garniture de framboises dans l'abaisse. Étalez soigneusement la préparation.

5 Utilisez la seconde abaisse pour recouvrir le tout. Avec vos doigts, soudez les deux abaisses ensemble de façon à ce que la garniture ne puisse s'échapper.

6 Versez sur la deuxième abaisse le reste de la garniture de framboises. Étalez la préparation puis disposez la troisième abaisse sur le dessus. Découpez, dans le centre de l'abaisse, une ouverture circulaire d'environ 3 cm (1¼ po). Retirez l'excédent de pâte puis fermez la tourte en pinçant le pourtour des abaisses avec vos doigts.

7 Faites cuire au four environ 1 heure ou jusqu'à ce que la croûte soit cuite et légèrement dorée.

8 Retirez du four et laissez refroidir. Saupoudrez le dessus de la tourte de sucre glace (attendez, pour ce faire, que la tourte ne soit plus chaude).

sans :

œuf

lait

arachide

noix

graine de sésame

poisson

mollusques

crustacés

bœuf

poulet

Aumônières de poires et de canneberges

Préparation : 30 min	Cuisson : 30 min	Quantité : 4 aumônières

Des pochettes-surprises du plus bel effet!

4 poires
2 oranges
250 ml (1 tasse) de canneberges fraîches ou décongelées
80 ml (⅓ tasse) de sucre
30 ml (2 c. à soupe) de farine de blé
2 ml (½ c. à thé) de cannelle moulue
4 abaisses de pâte à tarte simple non cuites d'environ 20 cm
(8 po) de diamètre (p. 227)

1 Préchauffez le four à 200 ºC (400 ºF).

2 Pelez puis coupez les poires en morceaux. Coupez quatre longues lanières dans le zeste des oranges. Prélevez ensuite l'équivalent de 10 ml (2 c. à thé) de zeste d'orange haché.

3 Dans un bol allant au four à micro-ondes, mélangez les morceaux de poires, le zeste d'orange haché (mais pas les lanières), les canneberges, le sucre, la farine de blé et la cannelle. Faites cuire le tout au micro-ondes à puissance maximale pendant 8 minutes. Réservez.

4 Immergez les lanières de zeste dans l'eau bouillante pendant 1 minute. Réservez.

5 Étalez les abaisses sur une plaque à pâtisserie à revêtement antiadhésif. Déposez, au centre de chaque abaisse, ¼ du mélange de poires et de canneberges. Remontez les bords pour former une pochette.

6 Faites cuire au four jusqu'à ce que la pâte soit cuite et légèrement dorée (environ 20 minutes). Avant de servir, attachez les bords de chaque aumônière avec une lanière de zeste d'orange (simplement pour faire joli!).

sans :

œuf

lait

arachide

noix

graine de sésame

poisson

mollusques

crustacés

bœuf

poulet

Gâteau au chocolat

Préparation : 20 min	Cuisson : 45 min	Quantité : 12 portions

Un gâteau hyper-cochon (surtout si vous le nappez d'un glaçage au chocolat comme celui de la p. 245), sans œufs ni produits laitiers ! Ne boudez pas votre plaisir…

625 ml (2½ tasses) de farine de blé à pâtisserie, tamisée
10 ml (2 c. à thé) de bicarbonate de soude
250 ml (1 tasse) de cacao
1 ml (¼ c. à thé) de sel
375 ml (1½ tasse) de cassonade
500 ml (2 tasses) de boisson de soya permise
185 ml (¾ tasse) d'huile de canola
60 ml (4 c. à soupe) d'eau
80 ml (⅓ tasse) de compote de pommes (p. 256)
10 ml (2 c. à thé) de vanille
fraises ou framboises fraîches (facultatif)

1 Préchauffez le four à 180 ºC (350 ºF).

2 Dans un bol, mélangez la farine de blé, le bicarbonate de soude, le cacao et le sel.

3 Dans un second bol, mélangez la cassonade, 125 ml (½ tasse) de boisson de soya, l'huile de canola, l'eau, la compote de pommes et la vanille.

4 Versez en alternance dans le premier bol le contenu du second bol et le reste de la boisson de soya. Battez, au fur et à mesure, avec un fouet en incorporant le plus d'air possible dans la pâte.

5 Versez le tout dans un moule à cheminée graissé. Cuisez au four pendant 45 minutes. Laissez refroidir et démoulez.

6 Coupez le gâteau en deux et tartinez l'une des moitiés du glaçage de votre choix. Remettez les deux moitiés ensemble. À l'aide d'une spatule, étalez le reste du glaçage sur tout le gâteau. Garnissez celui-ci de quelques fraises ou framboises fraîches (si vous en avez sous la main).

LAIT : plusieurs marques de cacao contiennent (ou peuvent contenir) des traces de produits laitiers. N'hésitez pas à communiquer avec le manufacturier pour obtenir des précisions.

sans :

œuf

lait

arachide

noix

graine de sésame

poisson

mollusques

crustacés

bœuf

poulet

sans :

œuf

lait

soya

arachide

noix

graine de sésame

poisson

mollusques

crustacés

bœuf

poulet

Gâteau blanc

Préparation : 15 min	Cuisson : 35 min	Quantité : 6 portions

Un gâteau tout simple, presque virginal...

375 ml (1½ tasse) de farine de blé à pâtisserie, tamisée
90 ml (6 c. à soupe) de sucre
10 ml (2 c. à thé) de levure chimique (poudre à pâte)
2 ml (½ c. à thé) de bicarbonate de soude
1 ml (¼ c. à thé) de sel
160 ml (⅔ tasse) de jus de pommes
7 ml (1½ c. à thé) de vanille
80 ml (⅓ tasse) de saindoux
45 ml (3 c. à soupe) d'huile de canola
45 ml (3 c. à soupe) de compote de pommes (p. 256)
5 ml (1 c. à thé) de vinaigre blanc

1 Préchauffez le four à 180 ºC (350 ºF).

2 Dans un bol, mélangez la farine de blé, le sucre, la levure chimique, le bicarbonate de soude et le sel. Ajoutez le jus de pommes et la vanille. Mélangez de nouveau.

3 Écrasez le saindoux avec une fourchette dans un second bol. Versez l'huile de canola et battez le mélange avec un fouet jusqu'à l'obtention d'une consistance crémeuse.

4 Incorporez dans le premier bol le contenu du second bol. Ajoutez la compote de pommes et le vinaigre. Battez en incorporant le plus d'air possible dans la pâte.

5 Versez le tout dans un moule rond graissé. Cuisez au four pendant 35 minutes. Laissez refroidir et démoulez.

Gâteau marbré

Préparation : 20 min	Cuisson : 35 min	Quantité : 8 portions

Un gâteau devant lequel vous ne pourrez rester de marbre...

PARTIE BLANCHE
375 ml (1½ tasse) de farine de blé à pâtisserie, tamisée
5 ml (1 c. à thé) de levure chimique (poudre à pâte)
5 ml (1 c. à thé) de bicarbonate de soude
60 ml (4 c. à soupe) de sucre
1 ml (¼ c. à thé) de sel
185 ml (¾ tasse) de jus de pommes
60 ml (4 c. à soupe) d'huile de canola
5 ml (1 c. à thé) de vinaigre blanc
5 ml (1 c. à thé) de vanille

PARTIE AU CHOCOLAT
250 ml (1 tasse) de farine de blé à pâtisserie, tamisée
125 ml (½ tasse) de cassonade
125 ml (½ tasse) de cacao
5 ml (1 c. à thé) de bicarbonate de soude
1 ml (¼ c. à thé) de sel
250 ml (1 tasse) de boisson de soya permise
60 ml (4 c. à soupe) d'huile de canola
5 ml (1 c. à thé) de vanille

1 Préchauffez le four à 180 ºC (350 ºF).

PARTIE BLANCHE
2 Dans un bol, mélangez la farine de blé, la levure chimique, le bicarbonate de soude, le sucre et le sel. Ajoutez le jus de pommes, l'huile de canola, le vinaigre et la vanille. Battez avec un fouet en incorporant le plus d'air possible dans la pâte. Réservez.

PARTIE AU CHOCOLAT
3 Dans un second bol, mélangez la farine de blé, la cassonade, le cacao, le bicarbonate de soude et le sel. Ajoutez la boisson de soya, l'huile de canola et la vanille. Battez avec un fouet en incorporant le plus d'air possible dans la pâte. Réservez.

sans :

œuf

lait

arachide

noix

graine de sésame

poisson

mollusques

crustacés

bœuf

poulet

Gâteau marbré (suite)

PRÉPARATION DU GÂTEAU MARBRÉ

4 Versez la préparation blanche dans un moule à cheminée graissé. Versez ensuite la préparation au chocolat. Pour réaliser l'effet marbré, faites des zigzags dans la pâte avec un couteau.

5 Cuisez au four pendant 35 minutes. Laissez refroidir et démoulez.

LAIT : plusieurs marques de cacao contiennent (ou peuvent contenir) des traces de produits laitiers. N'hésitez pas à communiquer avec le manufacturier pour obtenir des précisions.

Gâteau aux dattes et à l'orange

Préparation : 20 min	Cuisson : 50 min	Quantité : 12 portions

Plutôt que de préparer un seul gros gâteau, nous préférons parfois en faire une douzaine de petits. Nous répartissons alors la pâte dans un moule à muffins et limitons à 30 minutes le temps de cuisson.

Vous désirez recouvrir ce gâteau d'un glaçage ? Le glaçage blanc à l'orange (p. 247) est tout indiqué !

500 ml (2 tasses) de dattes dénoyautées
250 ml (1 tasse) de jus d'orange
625 ml (2½ tasses) de farine de blé à pâtisserie, tamisée
125 ml (½ tasse) de cassonade
10 ml (2 c. à thé) de bicarbonate de soude
1 ml (¼ c. à thé) de sel
185 ml (¾ tasse) d'eau
160 ml (⅔ tasse) d'huile de canola
20 ml (4 c. à thé) de zeste d'orange

1 Préchauffez le four à 180 ºC (350 ºF).

2 Dans un bol allant au four à micro-ondes, mettez les dattes ainsi que 125 ml (½ tasse) de jus d'orange. Faites cuire à puissance maximale au micro-ondes durant 5 minutes. Réduisez ensuite le mélange en purée en le passant au robot culinaire. Réservez.

3 Dans un second bol, mélangez la farine, la cassonade, le bicarbonate de soude et le sel. Versez l'eau, l'huile de canola et ce qui reste de jus d'orange. Mélangez de nouveau.

4 Ajoutez la purée de dattes et le zeste d'orange au contenu du second bol. Mélangez en incorporant le plus d'air possible dans la pâte.

5 Versez le tout dans un moule à cheminée graissé. Mettez au four pendant 45 minutes. Laissez refroidir et démoulez.

sans :

œuf

lait

soya

arachide

noix

graine de sésame

poisson

mollusques

crustacés

bœuf

poulet

sans :

œuf

lait

soya

arachide

noix

graine de sésame

poisson

mollusques

crustacés

bœuf

poulet

Gâteau aux bananes

Préparation : 20 min	Cuisson : 40 min	Quantité : 10 portions

Le temps de cuisson sera d'environ 30 minutes si vous répartissez la pâte dans deux moules ronds plutôt que d'employer un moule à cheminée.

> 500 ml (2 tasses) de farine de blé à pâtisserie, tamisée
> 5 ml (1 c. à thé) de levure chimique (poudre à pâte)
> 3 ml (¾ c. à thé) de bicarbonate de soude
> 1 ml (¼ c. à thé) de muscade moulue
> 2 ml (½ c. à thé) de sel
> 125 ml (½ tasse) d'huile de canola
> 185 ml (¾ tasse) de cassonade
> 5 ml (1 c. à thé) de vanille
> 60 ml (4 c. à soupe) de jus de pommes
> 60 ml (4 c. à soupe) d'eau
> 5 ml (1 c. à thé) de vinaigre blanc
> 3 bananes bien mûres

1 Préchauffez le four à 190 ºC (375 ºF).

2 Dans un bol, mélangez la farine, la levure chimique, le bicarbonate de soude, la muscade et le sel.

3 Dans un second bol, mélangez l'huile de canola, la cassonade et la vanille jusqu'à l'obtention d'une consistance assez lisse. Versez le jus de pommes, l'eau et le vinaigre puis mélangez de nouveau.

4 Réduisez les bananes en purée à l'aide d'une fourchette (de façon à obtenir environ 310 ml / 1¼ tasse de purée). Versez en alternance dans le premier bol le contenu du second bol et la purée de bananes. Battez, au fur et à mesure, avec un fouet en incorporant le plus d'air possible dans la pâte.

5 Versez le tout dans un moule à cheminée graissé. Mettez au four pendant 40 minutes. Laissez refroidir et démoulez.

Gâteau pouding à la noix de coco

| Préparation : 10 min | Cuisson : 35 min | Quantité : 8 portions |

Un pouding chômeur, revu et corrigé !

> 375 ml (1½ tasse) de farine de blé à pâtisserie, tamisée
> 60 ml (4 c. à soupe) de sucre
> 5 ml (1 c. à thé) de bicarbonate de soude
> 45 ml (3 c. à soupe) d'huile de canola
> 250 ml (1 tasse) de lait de coco
> 5 ml (1 c. à thé) de vinaigre
> 5 ml (1 c. à thé) de vanille
> 30 ml (2 c. à soupe) de noix de coco râpée (non sucrée)
> 250 ml (1 tasse) de cassonade
> 375 ml (1½ tasse) d'eau bouillante

1 Préchauffez le four à 190 ºC (375 ºF).

2 Dans un bol, mélangez la farine de blé, le sucre et le bicarbonate de soude. Ajoutez 30 ml (2 c. à soupe) d'huile de canola, le lait de coco, le vinaigre et la vanille. Mélangez de nouveau.

3 Versez cette pâte dans un moule non graissé ou une casserole assez profonde (sous peine de débordements !) pouvant aller au four. Saupoudrez de noix de coco râpée.

4 Dans un second bol, mélangez 15 ml (1 c. à soupe) d'huile de canola, la cassonade et l'eau bouillante. Versez ce sirop sur la pâte, sans mélanger.

5 Mettez au four pendant 35 minutes.

NOIX : les risques d'allergies croisées étant assez faibles, on ne recommande habituellement pas aux personnes allergiques aux autres noix d'éviter, à titre préventif, la noix de coco.

sans :

œuf

lait

soya

arachide

noix

graine de sésame

poisson

mollusques

crustacés

bœuf

poulet

Pouding au riz

sans :

Préparation : 15 min	Cuisson : 1 h 30	Quantité : 6 portions

Un dessert onctueux, exempt de blé, qui se savoure bien chaud.

œuf

90 ml (6 c. à soupe) de riz blanc à grain long
45 ml (3 c. à soupe) de cassonade
1 ml (¼ c. à thé) de sel
2 ml (½ c. à thé) de cannelle moulue
10 ml (2 c. à thé) de zeste d'orange
125 ml (½ tasse) de raisins secs
810 ml (3¼ tasses) de lait de coco

lait

soya

1 Préchauffez le four à 160 ºC (325 ºF).

2 Mettez tous les ingrédients dans un plat à four en pyrex. Mélangez.

arachide

3 Faites cuire au four pendant au moins 1 heure 30 minutes (plus la cuisson est longue, plus le pouding est tendre et crémeux). Remuez avec une cuillère de bois 2 ou 3 fois au cours de la première heure de cuisson afin de faire disparaître la pellicule laiteuse qui se forme à la surface.

noix

4 Réchauffez avant de servir.

graine de sésame

SOYA : allergique au soya? Assurez-vous que les raisins secs utilisés ne contiennent pas d'huile végétale hydrogénée provenant du soya.

blé

NOIX : les risques d'allergies croisées étant assez faibles, on ne recommande habituellement pas aux personnes allergiques aux autres noix d'éviter, à titre préventif, la noix de coco.

poisson

mollusques

crustacés

bœuf

poulet

Croustillant aux framboises et aux poires

Préparation : 20 min	Cuisson : 30 min	Quantité : 8 portions

Le croustillant aux framboises et aux poires se tiendra mieux (et sera donc plus facile à couper) si vous le laissez quelques heures au réfrigérateur avant de servir.

500 ml (2 tasses) de flocons d'avoine
250 ml (1 tasse) de farine de blé
250 ml (1 tasse) de cassonade
5 ml (1 c. à thé) de bicarbonate de soude
1 ml (¼ c. à thé) de sel
160 ml (⅔ tasse) d'huile de canola
500 ml (2 tasses) de framboises fraîches ou décongelées
80 ml (⅓ tasse) de sucre
2 poires

1 Préchauffez le four à 190 ºC (375 ºF).

2 Dans un bol, mélangez les flocons d'avoine, la farine de blé, la cassonade, le bicarbonate de soude et le sel. Ajoutez l'huile de canola. Mélangez de nouveau jusqu'à ce que la pâte prenne un aspect grumeleux.

3 Étalez environ ⅔ de cette pâte au fond d'un moule carré graissé. Pressez sur la pâte avec une spatule pour bien l'étendre.

4 Dans un second bol, mélangez les framboises et le sucre. Versez ce mélange sur la pâte en l'étalant avec la spatule. Ajoutez les poires après les avoir pelées et coupées en cubes.

5 Recouvrez le tout avec le reste de la pâte. Étalez bien celle-ci en exerçant de petites pressions avec la spatule.

6 Mettez au four pendant 30 minutes. Laissez refroidir.

sans :

œuf

lait

soya

arachide

noix

graine de sésame

poisson

mollusques

crustacés

bœuf

poulet

sans :

œuf

lait

soya

arachide

noix

graine de sésame

poisson

mollusques

crustacés

bœuf

poulet

Croustillant aux pommes

Préparation : 15 min	Cuisson : 40 min	Quantité : 6 portions

Le dessert familial par excellence.

> **6 à 8 pommes**
> **185 ml (¾ tasse) de flocons d'avoine**
> **125 ml (½ tasse) de farine de blé**
> **125 ml (½ tasse) de cassonade**
> **2 ml (½ c. à thé) de cannelle moulue**
> **75 ml (5 c. à soupe) d'huile de canola**

1 Préchauffez le four à 180 ºC (350 ºF).

2 Pelez puis coupez les pommes en tranches. Disposez celles-ci au fond d'un plat allant au four.

3 Dans un bol, mélangez les flocons d'avoine, la farine de blé, la cassonade et la cannelle. Ajoutez l'huile de canola. Mélangez de nouveau jusqu'à ce que la pâte prenne un aspect grumeleux. Étalez cette préparation sur les pommes.

4 Mettez au four pendant 40 minutes.

Grands-pères à l'érable

Préparation : 10 min	Cuisson : 20 min	Quantité : 15 grands-pères

D'après notre fils, on appelle ainsi ces petits gâteaux parce qu'ils sont aussi ronds qu'un ventre de grand-papa !

375 ml (1½ tasse) de farine de blé à pâtisserie, tamisée
15 ml (1 c. à soupe) de levure chimique (poudre à pâte)
2 ml (½ c. à thé) de sel
30 ml (2 c. à soupe) de margarine
185 ml (¾ tasse) de lait de coco
375 ml (1½ tasse) de sirop d'érable
375 ml (1½ tasse) d'eau

1 Dans un bol, mélangez la farine de blé, la levure chimique et le sel. Ajoutez la margarine et le lait de coco. Mélangez jusqu'à ce que la pâte soit homogène. Réservez.

2 Versez le sirop d'érable et l'eau dans une grande casserole. Portez à ébullition. Avec une cuillère, déposez des boulettes de pâte (une quinzaine en tout) dans la casserole. Réduisez le feu puis couvrez. Laissez mijoter doucement pendant 20 minutes, sans découvrir.

3 Au moment de servir, versez le sirop de cuisson sur les grands-pères.

LAIT : allergique aux produits laitiers ? Plusieurs margarines en contiennent, aussi est-il important de lire attentivement la liste des ingrédients de celle que vous utilisez.

ŒUF ET LAIT : attention au sirop d'érable utilisé si vous devez proscrire les œufs ou le lait. Certains sirops peuvent, en effet, contenir des traces de ces aliments.

NOIX : les risques d'allergies croisées étant assez faibles, on ne recommande habituellement pas aux personnes allergiques aux autres noix d'éviter, à titre préventif, la noix de coco.

sans :

œuf

lait

arachide

noix

graine de sésame

poisson

mollusques

crustacés

bœuf

poulet

Glaçage au chocolat

Préparation : 5 min	Cuisson : aucune	Quantité : 625 ml (2½ tasses)

Pour étaler, voluptueusement, sur un gâteau au chocolat maison...

125 ml (½ tasse) de margarine
125 ml (½ tasse) de shortening végétal
5 ml (1 c. à thé) de vanille
625 ml (2½ tasses) de sucre glace
185 ml (¾ tasse) de cacao
30 ml (2 c. à soupe) de boisson de soya permise

1 Dans un bol, battez la margarine et le shortening végétal.

2 Ajoutez la vanille puis, graduellement et en alternance, incorporez le sucre glace, le cacao et la boisson de soya. Continuez de battre jusqu'à l'obtention d'une consistance crémeuse.

LAIT : allergique aux produits laitiers ? Plusieurs margarines en contiennent, aussi est-il important de lire attentivement la liste des ingrédients de celle que vous utilisez. Par ailleurs, plusieurs marques de cacao contiennent (ou peuvent contenir) des traces de produits laitiers. N'hésitez pas à communiquer avec le manufacturier pour obtenir des précisions.

BLÉ : en cas d'allergie au blé, assurez-vous que le sucre glace ne contienne pas d'amidon de blé.

sans :

œuf

lait

arachide

noix

graine de sésame

blé

poisson

mollusques

crustacés

bœuf

poulet

Glaçage au chocolat sans soya

Préparation : 10 min	Cuisson : aucune	Quantité : 375 ml (1½ tasse)

À la recherche d'un glaçage sans produits laitiers ni soya? Bien qu'il soit moins crémeux que ceux faits à base de margarine et de shortening végétal (ou de beurre!!!), notre glaçage au chocolat sans soya constitue une alternative plus que décente.

60 ml (4 c. à soupe) de saindoux
90 ml (6 c. à soupe) de cacao
75 ml (5 c. à soupe) de jus de pommes
7 ml (1½ c. à thé) de vanille
500 ml (2 tasses) de sucre glace

1 Dans un bol, mettez le saindoux, le cacao, le jus de pommes et la vanille. Mélangez le tout jusqu'à l'obtention d'une texture pâteuse.

2 Incorporez graduellement le sucre glace tout en continuant à mélanger. Le glaçage est prêt lorsqu'il est bien lisse.

LAIT : plusieurs marques de cacao contiennent (ou peuvent contenir) des traces de produits laitiers. N'hésitez pas à communiquer avec le manufacturier pour obtenir des précisions.

BLÉ : en cas d'allergie au blé, assurez-vous que le sucre glace ne contienne pas d'amidon de blé.

sans :

œuf

lait

soya

arachide

noix

graine de sésame

blé

poisson

mollusques

crustacés

bœuf

poulet

sans :

œuf

lait

arachide

noix

graine de sésame

blé

poisson

mollusques

crustacés

bœuf

poulet

Glaçage blanc à l'orange

Préparation : 10 min	Cuisson : aucune	Quantité : 500 ml (2 tasses)

Délicieux avec le gâteau aux dattes et à l'orange (p. 238).

> **125 ml (½ tasse) de margarine**
> **125 ml (½ tasse) de shortening végétal**
> **5 ml (1 c. à thé) de vanille**
> **625 ml (2½ tasses) de sucre glace**
> **25 ml (5 c. à thé) de jus d'orange**
> **15 ml (1 c. à soupe) de zeste d'orange**

1 Dans un bol, battez la margarine et le shortening végétal.

2 Ajoutez la vanille puis, graduellement et en alternance, incorporez le sucre glace et le jus d'orange. Continuez de battre jusqu'à l'obtention d'une consistance crémeuse. Ajoutez enfin le zeste d'orange et mélangez de nouveau.

LAIT : allergique aux produits laitiers ? Plusieurs margarines en contiennent, aussi est-il important de lire attentivement la liste des ingrédients de celle que vous utilisez.

BLÉ : en cas d'allergie au blé, assurez-vous que le sucre glace ne contienne pas d'amidon de blé.

Fondue au chocolat

| Préparation : moins de 5 min | Cuisson : 10 min | Quantité : 375 ml (1 ½ tasse) |

Sans produits laitiers et vos invités n'y verront que du feu...

Plongez-y des fruits (bananes, oranges, poires, pommes, fraises, etc.) ou, pourquoi pas, des gaufres (p. 222 et 224) coupés en morceaux.

90 ml (6 c. à soupe) de margarine
160 ml (⅔ tasse) de sucre
160 ml (⅔ tasse) de cacao
125 ml (½ tasse) de lait de coco
5 ml (1 c. à thé) de vanille

1 Faites fondre la margarine dans une casserole à feu doux. Incorporez le sucre et le cacao. Versez graduellement le lait de coco tout en mélangeant. Ajoutez la vanille.

2 Poursuivez la cuisson à feu doux sans faire bouillir. Brassez continuellement jusqu'à ce que la sauce au chocolat soit lisse et soyeuse.

3 Versez la sauce, bien chaude, dans un pot à fondue au chocolat.

LAIT : allergique aux produits laitiers ? Plusieurs margarines en contiennent, aussi est-il important de lire attentivement la liste des ingrédients de celle que vous utilisez. Par ailleurs, plusieurs marques de cacao contiennent (ou peuvent contenir) des traces de produits laitiers. N'hésitez pas à communiquer avec le manufacturier pour obtenir des précisions.

NOIX : les risques d'allergies croisées étant assez faibles, on ne recommande habituellement pas aux personnes allergiques aux autres noix d'éviter, à titre préventif, la noix de coco.

Variante sans noix de coco : il nous est arrivé de remplacer le lait de coco par un volume égal de boisson de soya et c'était délicieux.

sans :

œuf

lait

arachide

noix

graine de sésame

blé

poisson

mollusques

crustacés

bœuf

poulet

sans :

œuf

lait

arachide

noix

graine de sésame

blé

poisson

mollusques

crustacés

bœuf

poulet

Sauce express au chocolat

Préparation : moins de 5 min   Cuisson : moins de 5 min   Quantité : 75 ml (5 c. à soupe)

Oubliez les sirops au chocolat commerciaux ! Il ne vous faudra qu'un instant pour préparer cette petite sauce, chocolatée à souhait !

15 ml (1 c. à soupe) de margarine
45 ml (3 c. à soupe) de sucre
30 ml (2 c. à soupe) de cacao
15 ml (1 c. à soupe) de boisson de soya permise
1 ml (¼ c. à thé) de vanille

1   Mettez tous les ingrédients dans un petit bol pouvant aller au four à micro-ondes. Mélangez jusqu'à l'obtention d'une pâte homogène.

2   Placez le bol au micro-ondes et faites réchauffer pendant 1 minute (puissance 8 sur notre micro-ondes). Brassez de nouveau.

LAIT : allergique aux produits laitiers ? Plusieurs margarines en contiennent, aussi est-il important de lire attentivement la liste des ingrédients de celle que vous utilisez. Par ailleurs, plusieurs marques de cacao contiennent (ou peuvent contenir) des traces de produits laitiers. N'hésitez pas à communiquer avec le manufacturier pour obtenir des précisions.

Sauce caramel

| Préparation : 10 min | Cuisson : 15 min | Quantité : 310 ml (1 1/4 tasse) |

Cette sauce dessert peut remplacer la sauce express au chocolat dans la crème glacée à la noix de coco (p. 254), être versée sur un gâteau blanc (p. 235), etc.

La sauce caramel doit être conservée au réfrigérateur.

10 ml (2 c. à thé) de fécule de maïs
30 ml (2 c. à soupe) d'eau froide
185 ml (¾ tasse) de lait de coco
125 ml (½ tasse) de sucre
125 ml (½ tasse) de sirop de maïs
60 ml (4 c. à soupe) de cassonade
30 ml (2 c. à soupe) de margarine
5 ml (1 c. à thé) de vanille

1 Dans un petit bol, délayez 5 ml (1 c. à thé) de fécule de maïs dans 15 ml (1 c. à soupe) d'eau froide. Versez cette préparation dans une casserole. Ajoutez le lait de coco et le sucre. Portez à ébullition. Réduisez le feu et laissez mijoter pendant environ 10 minutes en brassant de temps à autre.

2 Dans une deuxième casserole, mettez le sirop de maïs, la cassonade, la margarine et le reste de la fécule de maïs après l'avoir diluée dans 15 ml (1 c. à soupe) d'eau froide. Portez à ébullition en brassant fréquemment. Réduisez à feu moyen et poursuivez la cuisson pendant 2 minutes en remuant continuellement.

3 Versez le mélange de lait de coco et la vanille dans la deuxième casserole. Faites chauffer, toujours à feu moyen, pendant encore 3 minutes.

LAIT : allergique aux produits laitiers ? Plusieurs margarines en contiennent, aussi est-il important de lire attentivement la liste des ingrédients de celle que vous utilisez.

NOIX : les risques d'allergies croisées étant assez faibles, on ne recommande habituellement pas aux personnes allergiques aux autres noix d'éviter, à titre préventif, la noix de coco.

sans :

œuf

lait

arachide

noix

graine de sésame

blé

poisson

mollusques

crustacés

bœuf

poulet

Bananes caramélisées

Préparation : moins de 5 min	Cuisson : 10 min	Quantité : 4 portions

Dessert minute pour jours pressés.

30 ml (2 c. à soupe) d'huile de canola
4 bananes assez mûres
60 ml (4 c. à soupe) de cassonade
45 ml (3 c. à soupe) de jus d'orange
15 ml (1 c. à soupe) de noix de coco râpée (non sucrée)

1 Faites chauffer l'huile de canola dans une poêle à feu moyen. Déposez les bananes dans la poêle après les avoir tranchées en deux sur la longueur. Faites cuire pendant environ 2 minutes de chaque côté. Retirez les bananes de la poêle et réservez.

2 Mettez la cassonade et le jus d'orange dans la poêle. Toujours à feu moyen, faites réduire pendant environ 2 minutes, jusqu'à l'obtention d'un sirop. Ajoutez la noix de coco râpée puis remettez les bananes dans la poêle. Faites cuire pendant 1 minute de plus.

3 Servez les bananes en les nappant de sirop.

NOIX : les risques d'allergies croisées étant assez faibles, on ne recommande habituellement pas aux personnes allergiques aux autres noix d'éviter, à titre préventif, la noix de coco.

Variante alcoolisée : remplacez le jus d'orange par du rhum.

sans :

œuf

lait

soya

arachide

noix

graine de sésame

blé

poisson

mollusques

crustacés

bœuf

poulet

Délice aux petits fruits

Préparation : 5 min	Repos : 1 h ou plus	Cuisson : aucune	Quantité : 4 portions

Nourrissante et onctueuse, cette mousse se prépare en un rien de temps. Nous l'avons surnommée «tubby-délice» parce qu'elle a l'apparence et la texture de ce plat, cher aux télétubbies[1]. Est-ce la saveur, est-ce le surnom ? En tout cas, il s'agit de l'un des desserts préférés de notre petit bonhomme…

> **375 ml (1½ tasse) de tofu mou à texture fine**
> **125 ml (½ tasse) de sucre**
> **500 ml (2 tasses) de petits fruits frais ou décongelés**
> **(fraises, framboises, bleuets ou mûres)**

1 Mélangez tous les ingrédients au robot culinaire jusqu'à l'obtention d'une mousse bien crémeuse (ne prolongez pas indûment cette opération sans quoi le résultat sera trop liquide). Réfrigérez au moins 1 heure avant de servir.

2 Pour une mousse glacée : faites tourner le mélange pendant quelques minutes dans une sorbetière.

Truc : si vous placez le tofu au réfrigérateur quelques heures avant la préparation de la mousse aux petits fruits, celle-ci sera prête à servir immédiatement.

sans :

œuf

lait

arachide

noix

graine de sésame

blé

poisson

mollusques

crustacés

bœuf

poulet

---

1. Personnages vedettes d'une émission de télévision très populaire destinée aux jeunes enfants.

Mousse glacée au chocolat et aux bananes

Préparation : 10 min	Cuisson : moins de 5 min	Quantité : 4 portions

À déguster avec des dentelles à l'érable (p. 265)...

45 ml (3 c. à soupe) de cacao
90 ml (6 c. à soupe) de sucre
45 ml (3 c. à soupe) de boisson de soya permise
5 ml (1 c. à thé) de vanille
4 bananes bien mûres, congelées en morceaux
375 ml (1½ tasse) de tofu ferme à texture fine

1 Dans un petit bol, mélangez le cacao, le sucre, la boisson de soya et la vanille. Faites chauffer le sirop ainsi obtenu au four à micro-ondes pendant 1 minute à puissance maximale. Brassez de nouveau afin que le mélange soit homogène.

2 Mélangez au robot culinaire les morceaux de bananes et le sirop de chocolat pendant 30 secondes. Incorporez le tofu et mélangez de nouveau pendant 30 secondes ou jusqu'à l'obtention d'une mousse bien lisse.

3 Servez immédiatement.

LAIT : plusieurs marques de cacao contiennent (ou peuvent contenir) des traces de produits laitiers. N'hésitez pas à communiquer avec le manufacturier pour obtenir des précisions.

Truc : vous n'avez pas le temps de faire congeler vos bananes ? Ce n'est pas grave si vous disposez d'une sorbetière. Il vous suffit d'y faire tourner le mélange pendant quelques minutes pour une mousse glacée presque instantanée !

sans :

œuf

lait

arachide

noix

graine de sésame

blé

poisson

mollusques

crustacés

bœuf

poulet

Crème glacée à la noix de coco et aux nervures de chocolat

Préparation : 25 min	Cuisson : aucune	Quantité : 6 portions

D'après notre expérience, voici ce qui se rapproche le plus de la « vraie » crème glacée. Tout à fait délectable !

La crème glacée à la noix de coco peut être conservée au congélateur. Il vous faudra toutefois la transférer au réfrigérateur au moins 30 minutes avant de la servir, sans quoi elle sera trop dure.

810 ml (3¼ tasses) de lait de coco
185 ml (¾ tasse) de sucre
5 ml (1 c. à thé) de vanille
45 ml (3 c. à soupe) de sauce express au chocolat (p. 249)

1 Mélangez le lait de coco, le sucre et la vanille dans un bol. Versez cette préparation dans une sorbetière et faites tourner le tout jusqu'à ce que le mélange ait une consistance semblable à celle de la crème glacée molle.

2 Incorporez la sauce express au chocolat et faites tourner 1 minute de plus.

NOIX : les risques d'allergies croisées étant assez faibles, on ne recommande habituellement pas aux personnes allergiques aux autres noix d'éviter, à titre préventif, la noix de coco.

Variantes sans cacao : remplacez le sirop de chocolat par une sauce caramel (p. 250) ou par un coulis de fruits. Vous pouvez également déguster la crème glacée à la noix de coco « nature ».

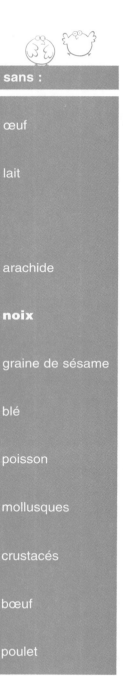

sans :

œuf

lait

arachide

noix

graine de sésame

blé

poisson

mollusques

crustacés

bœuf

poulet

Sorbet aux fraises et au melon d'eau

| Préparation : 20 min | Cuisson : 5 min | Quantité : 1¾ l (7 tasses) |

Un sorbet maison, avec ou sans sorbetière !

125 ml (½ tasse) de sucre
310 ml (1¼ tasse) d'eau
500 ml (2 tasses) de fraises fraîches ou décongelées
melon d'eau d'environ 2 kg (4½ lb)
30 ml (2 c. à soupe) de jus de citron

1 Mettez le sucre et l'eau dans une casserole. Portez à ébullition puis réduisez le feu et laissez mijoter doucement pendant 5 minutes. Réservez le sirop ainsi obtenu au réfrigérateur.

2 Réduisez les fraises en purée à l'aide du robot culinaire. Découpez le melon d'eau en gros morceaux et passez également ceux-ci au robot culinaire. Vous devriez obtenir environ 1 l (4 tasses) de purée de melon d'eau.

3 Versez les purées de fruits dans un grand bol. Incorporez le sirop refroidi ainsi que le jus de citron. Mélangez les ingrédients.

4 Versez cette préparation dans une sorbetière. Faites tourner le tout jusqu'à ce que la préparation ait la consistance d'un sorbet (ni trop liquide, ni trop dure). Si vous ne disposez pas d'une sorbetière, congelez le mélange par portions. Retirez le sorbet du congélateur et placez-le au réfrigérateur environ 3 heures avant de servir (sans quoi il sera trop dur).

sans :

œuf

lait

soya

arachide

noix

graine de sésame

blé

poisson

mollusques

crustacés

bœuf

poulet

Compote de pommes

Préparation : 10 min	Cuisson : 20 min	Quantité : 750 ml (3 tasses)

Cette compote se conserve quelques jours au réfrigérateur et se congèle très bien.

250 ml (1 tasse) de jus de pommes
8 grosses pommes

1 Versez le jus de pommes dans une casserole et portez à ébullition.

2 Coupez les pommes en morceaux après les avoir pelées. Mettez les morceaux de pommes dans la casserole puis réduisez le feu. Couvrez à moitié et laissez mijoter 20 minutes en brassant de temps à autre.

3 Au terme de la cuisson, défaites les morceaux de pommes à la fourchette (si vous préférez que votre compote soit bien lisse, passez celle-ci au mélangeur à main).

Variante sucrée : incorporez 80 ml (⅓ tasse) de sucre en même temps que le jus de pommes (étape 1 de la recette). Additionnée de sucre, la compote se conservera un peu plus longtemps au réfrigérateur.

sans :

œuf

lait

soya

arachide

noix

graine de sésame

blé

poisson

mollusques

crustacés

bœuf

poulet

sans :

œuf

lait

soya

arachide

noix

graine de sésame

blé

poisson

mollusques

crustacés

bœuf

poulet

Compote de fraises et de rhubarbe

Préparation : 15 min   Repos : 1 à 2 h   Cuisson : 10 min   Quantité : 1¼ l (5 tasses)

Telle quelle, notre compote de fraises et de rhubarbe est peut-être un peu surette. N'hésitez surtout pas à ajuster la quantité de sucre à votre goût.

Cette compote se congèle très bien.

**6 à 7 tiges de rhubarbe fraîche ou décongelée
(environ 1 l / 4 tasses de rhubarbe coupée en morceaux)
1 l (4 tasses) de fraises fraîches ou décongelées
80 ml (⅓ tasse) de sucre**

1 Pelez la rhubarbe si nécessaire (c'est inutile si la rhubarbe est jeune et que sa peau est tendre) puis coupez-la en morceaux d'environ 2,5 cm (1 po). Équeutez les fraises fraîches. Coupez en deux les plus grosses fraises.

2 Mettez les fraises et la rhubarbe dans un bol puis saupoudrez de sucre. Mélangez délicatement. Utilisez une pellicule plastique pour recouvrir le bol et laissez reposer à la température de la pièce pendant 1 à 2 heures.

3 Versez le contenu du bol dans une grande casserole et portez à ébullition en remuant fréquemment. Réduisez le feu et laissez mijoter doucement, sans couvrir, pendant environ 10 minutes ou jusqu'à ce que la rhubarbe soit tendre et qu'elle se défasse facilement. Brassez à l'occasion.

4 Laissez refroidir puis servez.

Truc : pas le temps de laisser reposer les fruits pendant 1 heure ou plus ? Pour accélérer un peu le processus, préparez un sirop composé de 80 ml (⅓ tasse) de sucre et de 80 ml (⅓ tasse) d'eau. Versez ce sirop dans une grande casserole et portez à ébullition. Incorporez ensuite les fruits coupés en morceaux et laissez mijoter doucement et à découvert pendant environ 15 minutes.

Il y a, dans la maison de Charles, une boîte un peu spéciale, presque un coffre aux trésors. Baptisée « boîte non merci », elle regorge de bonbons, sucettes et autres friandises sûres pour Charles qui est allergique aux arachides. Chaque fois que l'on propose à ce dernier quelque nourriture qu'il doit refuser en raison de son allergie, il peut grignoter l'une de ces petites gâteries sucrées.

Charles était âgé de quatre ans lorsque sa mère a instauré le système de la « boîte non merci ». Il a immédiatement saisi les règles de ce nouveau jeu. Accompagnant sa mère au supermarché où plusieurs petites tables avaient été dressées pour initier la clientèle à divers produits alimentaires, Charles s'est planté devant chacune d'entre elles, jusqu'à ce qu'on lui offre de goûter le produit en démonstration. « Maman ! » s'est-il exclamé en sortant, tout excité, du supermarché, « j'ai dit "non merci !" six fois ! »

Charles n'aura pas à résister aux douceurs proposées dans les pages qui suivent : toutes conviennent, en effet, à un régime sans arachide.

BISCUITS ET FRIANDISES

sans :

œuf

lait

soya

arachide

noix

graine de sésame

poisson

mollusques

crustacés

bœuf

poulet

Biscuits aux dattes et aux raisins secs

Préparation : 20 min	Cuisson : 20 min	Quantité : 24 biscuits

Parfaits pour la collation.

> 125 ml (½ tasse) d'huile de canola
> 160 ml (⅔ tasse) de sucre
> 200 ml (⅘ tasse) de compote de pommes (p. 256)
> 375 ml (1½ tasse) de farine de blé
> 375 ml (1½ tasse) de flocons d'avoine
> 5 ml (1 c. à thé) de bicarbonate de soude
> 1 ml (¼ c. à thé) de sel
> 125 ml (½ tasse) de dattes
> 80 ml (⅓ tasse) de raisins secs

1 Préchauffez le four à 160 ºC (325 ºF).

2 Dans un bol, mélangez l'huile de canola et le sucre. Incorporez la compote de pommes et mélangez de nouveau. Ajoutez la farine de blé, les flocons d'avoine, le bicarbonate de soude, le sel, les dattes (préalablement coupées en petits morceaux) et les raisins secs. Mélangez le tout jusqu'à ce que les ingrédients secs soient bien humectés.

3 À l'aide d'une cuillère, déposez des boulettes du mélange sur deux plaques à pâtisserie antiadhésives. Façonnez les biscuits à votre goût.

4 Mettez au four. Laissez cuire pendant 8 minutes puis intervertissez les plaques dans le four de façon à ce que celle qui se trouvait sur la grille supérieure se retrouve sur la grille inférieure et vice versa. Faites cuire pendant encore 8 minutes ou jusqu'à ce que les biscuits soient légèrement dorés.

SOYA : allergique au soya ? Assurez-vous que les raisins secs utilisés ne contiennent pas d'huile végétale hydrogénée provenant du soya.

Biscuits tropicaux au chocolat

| Préparation : 20 min | Cuisson : 20 min | Quantité : 24 biscuits |

Pourquoi tropicaux ? À cause de la noix de coco, bien sûr !

125 ml (½ tasse) d'huile de canola
160 ml (⅔ tasse) de cassonade
250 ml (1 tasse) de purée de bananes
5 ml (1 c. à thé) de bicarbonate de soude
1 ml (¼ c. à thé) de sel
375 ml (1½ tasse) de farine de blé
310 ml (1¼ tasse) de flocons d'avoine
80 ml (⅓ tasse) de noix de coco râpée (non sucrée)
45 ml (3 c. à soupe) de cacao
60 ml (4 c. à soupe) d'eau

1 Préchauffez le four à 160 ºC (325 ºF).

2 Dans un bol, mélangez l'huile de canola et la cassonade. Incorporez la purée de bananes, le bicarbonate de soude et le sel. Mélangez de nouveau. Ajoutez la farine de blé, les flocons d'avoine, la noix de coco, le cacao et l'eau. Mélangez le tout jusqu'à ce que les ingrédients secs soient bien humectés.

3 À l'aide d'une cuillère, déposez des boulettes du mélange sur deux plaques à pâtisserie à revêtement antiadhésif. Façonnez les biscuits à votre goût.

4 Mettez au four. Laissez cuire pendant 9 minutes puis intervertissez les plaques dans le four de façon à ce que celle qui se trouvait sur la grille supérieure se retrouve sur la grille inférieure et vice versa. Faites cuire pendant encore 9 minutes.

LAIT : plusieurs marques de cacao contiennent (ou peuvent contenir) des traces de produits laitiers. N'hésitez pas à communiquer avec le manufacturier pour obtenir des précisions.

NOIX : les risques d'allergies croisées étant assez faibles, on ne recommande habituellement pas aux personnes allergiques aux autres noix d'éviter, à titre préventif, la noix de coco.

sans :

œuf

lait

soya

arachide

noix

graine de sésame

poisson

mollusques

crustacés

bœuf

poulet

Couronnes à la citrouille

sans :

œuf

lait

soya

arachide

noix

graine de sésame

poisson

mollusques

crustacés

bœuf

poulet

Préparation : 25 min	Cuisson : 20 min	Quantité : 14 couronnes

La preuve (encore une fois !) qu'on peut se servir des citrouilles pour faire autre chose que des décorations pour la fête de l'Halloween !

750 ml (3 tasses) de farine de blé
80 ml (⅓ tasse) de cassonade
15 ml (1 c. à soupe) de levure chimique (poudre à pâte)
2 ml (½ c. à thé) de cannelle moulue
2 ml (½ c. à thé) de gingembre moulu
1 ml (¼ c. à thé) de muscade moulue
1 ml (¼ c. à thé) de sel
80 ml (⅓ tasse) d'huile de canola
125 ml (½ tasse) de dattes
185 ml (¾ tasse) de purée de citrouille (truc n° 2, p. 114)
185 ml (¾ tasse) de jus de pommes
5 ml (1 c. à thé) de vanille

1 Préchauffez le four à 180 ºC (350 ºF).

2 Dans un bol, mélangez la farine, la cassonade, la levure chimique, la cannelle, le gingembre, la muscade et le sel. Ajoutez l'huile de canola, les dattes (préalablement coupées en petits morceaux), la purée de citrouille, le jus de pommes et la vanille. Mélangez de nouveau jusqu'à ce que les ingrédients secs soient humectés et que la préparation ait la forme d'une grosse boule.

3 Saupoudrez de farine une surface bien propre et déposez-y la boule de pâte. Roulez celle-ci avec vos mains en un gros saucisson d'environ 10 cm (4 po) de diamètre. Coupez ce saucisson en 14 tranches d'égale épaisseur.

4 Roulez chaque tranche avec vos mains pour en faire une ficelle d'environ 2 cm (¾ po) de diamètre. Unissez les extrémités de chaque ficelle afin de former une petite couronne.

5 Déposez les couronnes sur deux plaques à pâtisserie à revêtement antiadhésif. Mettez au four. Laissez cuire pendant 10 minutes puis intervertissez les plaques dans le four de façon à ce que la plaque qui se trouvait sur la grille supérieure se retrouve sur la grille inférieure et vice versa. Faites cuire pendant encore 10 minutes ou jusqu'à ce que les couronnes soient dorées.

Variante sans dattes : vous pouvez remplacer les dattes par des figues séchées ou par des raisins secs (si vous devez éviter le soya, assurez-vous, toutefois, que les raisins secs utilisés ne contiennent pas d'huile végétale hydrogénée provenant du soya).

Sablés

Préparation : 30 min	Cuisson : 35 min	Quantité : 30 sablés

On les associe généralement au temps des fêtes, mais il n'y a aucune raison de s'en priver le reste de l'année !

375 ml (1½ tasse) de margarine
250 ml (1 tasse) de sucre glace
685 ml (2¾ tasses) de farine de blé à pâtisserie, tamisée
30 canneberges fraîches ou décongelées

1 Préchauffez le four à 150 ºC (300 ºF).

2 Dans un bol, mélangez la margarine et le sucre glace. Incorporez graduellement la farine de blé en mélangeant avec une cuillère de bois. Pétrissez le mélange avec vos mains jusqu'à l'obtention d'une boule de pâte homogène et un peu huileuse qui ne colle plus aux doigts.

3 Saupoudrez de farine une surface bien propre et déposez-y la boule de pâte. À l'aide d'un rouleau à pâtisserie préalablement enfariné, étendez la pâte jusqu'à l'obtention d'une abaisse d'environ 1 cm (approximativement ½ po) d'épaisseur. Découpez la pâte à l'aide d'un emporte-pièce.

4 Disposez les sablés sur une ou deux plaques à pâtisserie à revêtement antiadhésif. Déposez une canneberge sur chaque sablé.

5 Façonnez en boule la pâte restante et répétez les opérations précédentes jusqu'à ce que vous ayez utilisé toute la pâte.

6 Mettez la plaque au four. Faites cuire pendant 35 minutes ou jusqu'à ce que les sablés soient dorés.

LAIT : allergique aux produits laitiers ? Plusieurs margarines en contiennent, aussi est-il important de lire attentivement la liste des ingrédients de celle que vous utilisez.

sans :

œuf

lait

arachide

noix

graine de sésame

poisson

mollusques

crustacés

bœuf

poulet

Dentelles à l'érable

Préparation : 10 min	Cuisson : 25 min	Quantité : 40 dentelles

Parfaites avec un sorbet (p. 255) ou de la crème glacée à la noix de coco (p. 254).

80 ml (⅓ tasse) d'huile de canola
60 ml (4 c. à soupe) de cassonade
185 ml (¾ tasse) de sirop d'érable
250 ml (1 tasse) de flocons d'avoine à cuisson rapide
185 ml (¾ tasse) de farine de blé à pâtisserie, tamisée

1 Préchauffez le four à 190 ºC (375 ºF).

2 Dans une casserole, mélangez l'huile de canola, la cassonade et le sirop d'érable. Portez à ébullition puis retirez du feu.

3 Ajoutez les flocons d'avoine et la farine de blé. Mélangez jusqu'à ce que tous les ingrédients soient bien humectés.

4 Recouvrez deux plaques à pâtisserie de feuilles de papier parcheminé. Déposez la pâte sur les plaques par petites cuillerées (environ 5 ml / 1 c. à thé). Laissez une bonne distance entre chaque cuillerée, car la pâte prend beaucoup d'expansion au cours de la cuisson (environ 8 dentelles par plaque à pâtisserie de dimensions standard).

5 Placez une première plaque sur la grille supérieure du four. Faites cuire de 5 à 6 minutes ou jusqu'à ce que les dentelles soient dorées. Retirez du four. Mettez la seconde plaque au four. Répétez cette opération autant de fois que nécessaire.

6 Laissez refroidir les dentelles afin qu'elles durcissent un peu avant de servir.

ŒUF ET LAIT : attention au sirop d'érable utilisé si vous devez proscrire les œufs ou le lait. Certains sirops peuvent, en effet, contenir des traces de ces aliments.

sans :

œuf

lait

soya

arachide

noix

graine de sésame

poisson

mollusques

crustacés

bœuf

poulet

Macarons d'Isabelle

Préparation : 25 min   Cuisson : moins de 5 min   Repos : 1 h   Quantité : 60 macarons

Plusieurs douzaines de délicieuses petites bouchées préparées en un tourne-main (ou presque) : qui dit mieux ? Une bonne idée pour les fêtes d'enfants, les réunions de famille, etc.

Conservez les macarons au réfrigérateur jusqu'au moment de servir.

125 ml (½ tasse) de lait de coco
310 ml (1¼ tasse) de sucre
125 ml (½ tasse) de margarine
5 ml (1 c. à thé) de vanille
625 ml (2½ tasses) de flocons d'avoine
250 ml (1 tasse) de noix de coco râpée (non sucrée)
90 ml (6 c. à soupe) de cacao

1   Mélangez le lait de coco et le sucre dans une casserole. Amenez le mélange à ébullition à feu vif en remuant à l'occasion. Poursuivez la cuisson à feu réduit pendant encore 1 minute, sans couvrir et en remuant presque constamment (attention aux débordements !). Retirez du feu. Réservez.

2   Dans un bol, mélangez la margarine, la vanille, les flocons d'avoine, la noix de coco râpée et le cacao. Versez sur ce mélange le sirop de lait de coco et de sucre encore fumant. Mélangez bien le tout.

3   À l'aide d'une cuillère, déposez des boulettes du mélange sur une plaque à pâtisserie recouverte d'une feuille de papier ciré. Façonnez les boulettes à votre goût. Laissez prendre au réfrigérateur pendant au moins 1 heure avant de servir.

LAIT : allergique aux produits laitiers ? Plusieurs margarines en contiennent, aussi est-il important de lire attentivement la liste des ingrédients de celle que vous utilisez. Par ailleurs, plusieurs marques de cacao contiennent (ou peuvent contenir) des traces de produits laitiers. N'hésitez pas à communiquer avec le manufacturier pour obtenir des précisions.

NOIX : les risques d'allergies croisées étant assez faibles, on ne recommande habituellement pas aux personnes allergiques aux autres noix d'éviter, à titre préventif, la noix de coco.

Truc : pour façonner les boulettes sans que le mélange colle à votre ustensile, utilisez une spatule en caoutchouc trempée dans l'eau très chaude.

Variante sans soya : remplacez la margarine par 105 ml (7 c. à soupe) de saindoux.

sans :

œuf

lait

arachide

noix

graine de sésame

blé

poisson

mollusques

crustacés

bœuf

poulet

sans :

œuf

lait

soya

arachide

noix

graine de sésame

blé

poisson

mollusques

crustacés

bœuf

poulet

Macarons bis

Préparation : 10 min	Cuisson : 15 min	Quantité : 30 macarons

Ces macarons sont avantageux à plus d'un titre. Premièrement, ils sont dépourvus de gluten et de soya. Deuxièmement, ils sont vite préparés. Et troisièmement... ils sont délicieux !

Conservez les macarons au réfrigérateur jusqu'au moment de servir.

> **750 ml (3 tasses) de noix de coco râpée (non sucrée)**
> **125 ml (½ tasse) de sucre**
> **60 ml (4 c. à soupe) de cacao**
> **160 ml (⅔ tasse) de lait de coco**
> **5 ml (1 c. à thé) de vanille**

1 Préchauffez le four à 160 ºC (325 ºF).

2 Mélangez soigneusement la noix de coco, le sucre et le cacao dans un bol. Incorporez le lait de coco et la vanille. Mélangez de nouveau.

3 À l'aide d'une cuillère, déposez des boulettes du mélange sur une plaque à pâtisserie à revêtement antiadhésif. Façonnez les boulettes à votre goût. Mettez au four pendant 12 minutes.

4 Laissez refroidir.

LAIT : plusieurs marques de cacao contiennent (ou peuvent contenir) des traces de produits laitiers. N'hésitez pas à communiquer avec le manufacturier pour obtenir des précisions.

NOIX : les risques d'allergies croisées étant assez faibles, on ne recommande habituellement pas aux personnes allergiques aux autres noix d'éviter, à titre préventif, la noix de coco.

Sucettes glacées au melon d'eau

Préparation : 10 min	Cuisson : aucune	Repos : 4 h ou plus
Quantité : 8 petites sucettes		

Vous le savez, les petits (et certains grands !) raffolent des sucettes glacées. En voici une version plus « santé » que bien d'autres. Attention de bien respecter la proportion de sucre : si vous en mettez trop, les sucettes ne durciront pas convenablement.

375 ml (1½ tasse) de purée de melon d'eau sans pépins
60 ml (4 c. à soupe) de sucre
60 ml (4 c. à soupe) d'eau chaude

1 Coupez le melon d'eau en morceaux puis réduisez ceux-ci en purée en les passant au robot culinaire.

2 Faites dissoudre le sucre dans l'eau chaude. Dans un bol, mélangez l'eau sucrée et la purée de melon d'eau. Répartissez le tout dans des moules à sucettes glacées.

3 Mettez au congélateur et laissez prendre pendant quelques heures (ou, mieux encore, toute la nuit).

sans :

œuf

lait

soya

arachide

noix

graine de sésame

blé

poisson

mollusques

crustacés

bœuf

poulet

sans :

œuf

lait

arachide

noix

graine de sésame

blé

poisson

mollusques

crustacés

bœuf

poulet

Sucettes glacées aux petits fruits

Préparation : 15 min   Cuisson : moins de 5 min   Repos : 4 h ou plus
Quantité : 8 petites sucettes

Le tofu mou remplace à merveille le yogourt dans les sucettes glacées.

80 ml (⅓ tasse) de sucre
80 ml (⅓ tasse) de jus de raisin
750 ml (3 tasses) de petits fruits frais ou décongelés (fraises, framboises, bleuets ou mûres)
160 ml (⅔ tasse) de tofu mou à texture fine

1 Dans un petit bol allant au four à micro-ondes, mélangez le sucre et le jus de raisin. Faites chauffer au micro-ondes à puissance maximale jusqu'à la dissolution du sucre (environ 2 minutes).

2 Dans un second bol, mettez les petits fruits ainsi que le tofu. Réduisez en purée à l'aide d'un mélangeur à main ou d'un robot culinaire. Incorporez le mélange de jus de raisin et de sucre. Mélangez de nouveau.

3 Répartissez le tout dans des moules à sucettes glacées. Mettez au congélateur et laissez prendre pendant quelques heures (ou, mieux encore, toute la nuit).

Voilà des années que nous faisons nous-mêmes nos confitures et c'est un bonheur (si, si!) dont nous ne nous lassons pas. En saison, nous achetons, directement du producteur, de petits fruits (fraises, bleuets et framboises) en quantité. Nous les congelons immédiatement pour les utiliser au cours de l'année qui suit, au gré de nos besoins. La préparation elle-même des confitures, d'une grande simplicité, a le don de nous ramener à l'essentiel. Une oasis de paix dans une vie souvent trépidante. Les effluves qui envahissent doucement la cuisine lorsque les confitures mijotent ajoutent encore au plaisir. Il est d'ailleurs parfois bien difficile de résister à la tentation d'étaler une bonne couche de confiture, encore fumante, sur une tartine de pain.

Une petite mise en garde : si vous vous lancez dans la préparation de confitures maison, il se pourrait que vous ayez beaucoup de mal à vous satisfaire, par la suite, des préparations commerciales…

Confiture de fraises

sans :

œuf

lait

soya

arachide

noix

graine de sésame

blé

poisson

mollusques

crustacés

bœuf

poulet

Préparation : 10 min   Repos : 3 à 5 h   Cuisson : 40 à 50 min
Quantité : 450 ml (1⁴/₅ tasse)

Nous n'avons modifié la recette familiale de confiture de fraises que pour réduire la quantité de sucre utilisé. La méthode employée permet de garder entiers les fruits et de préserver leur saveur.

Parce qu'elle est relativement faible en sucre, cette confiture doit être conservée au réfrigérateur et être consommée à l'intérieur d'un délai de 3 à 4 semaines.

1 l (4 tasses) de fraises fraîches ou décongelées
160 ml (²/₃ tasse) de sucre

1 Équeutez les fraises fraîches.

2 Mettez les fraises et le sucre dans un bol. Mélangez délicatement. Utilisez une pellicule plastique pour recouvrir le bol et laissez reposer à la température de la pièce pendant 3 à 5 heures.

3 Récupérez le jus de fraises (sans les fraises) et versez-le dans une casserole. Portez à ébullition. Réduisez le feu. Laissez mijoter doucement et à découvert pendant 30 à 40 minutes ou jusqu'à l'obtention d'un sirop assez épais. Ne vous éloignez pas trop de la casserole, vous risqueriez d'enfumer toute la maison ! Il arrive, en effet, que le processus d'évaporation soit plus rapide que prévu (expérience vécue !).

4 Ajoutez les fraises et poursuivez la cuisson à feu moyen, sans couvrir, pendant 10 minutes. Remuez de temps à autre.

5 Versez la confiture dans un bocal stérilisé et réfrigérez.

Truc : pour accélérer le processus, vous pouvez toujours mettre les fraises et le sucre directement dans une casserole. Couvrez puis faites chauffer celle-ci à feu assez doux pendant environ 10 minutes en remuant fréquemment. Retirez les fruits de la casserole en y laissant le jus de fraises. Portez à ébullition puis réduisez le feu et laissez mijoter jusqu'à l'obtention d'un sirop de la consistance désirée (30 à 40 minutes). Remettez les fraises dans la casserole puis conformez-vous aux étapes 4 et 5 de la recette.

Confiture de quatre fruits

Préparation : 10 min   Repos : 3 à 5 h   Cuisson : 40 à 50 min
Quantité : 450 ml (1⁴/₅ tasse)

Un goût d'été sur vos tartines !

Tout comme la confiture de fraises, la confiture de quatre fruits se conserve 3 ou 4 semaines au réfrigérateur. Pour accélérer la préparation de cette confiture, voyez le truc mentionné à la page précédente.

**1 l (4 tasses) d'un mélange de fraises, framboises, mûres
et bleuets frais ou décongelés
185 ml (¾ tasse) de sucre**

1   Mettez les fruits et le sucre dans un bol. Mélangez délicatement. Utilisez une pellicule plastique pour recouvrir le bol et laissez reposer à la température de la pièce pendant 3 à 5 heures.

2   Récupérez le jus des fruits (sans les fruits) et versez-le dans une casserole. Portez à ébullition. Réduisez le feu. Laissez mijoter doucement à découvert pendant 30 à 40 minutes ou jusqu'à l'obtention d'un sirop assez épais.

3   Ajoutez les fruits et poursuivez la cuisson à feu moyen, sans couvrir, pendant 10 minutes. Remuez de temps à autre.

4   Versez la confiture dans un bocal stérilisé et réfrigérez.

sans :

œuf

lait

soya

arachide

noix

graine de sésame

blé

poisson

mollusques

crustacés

bœuf

poulet

Beurre de soya

Préparation : 10 min	Cuisson : aucune	Quantité : 125 ml (½ tasse)

Le beurre de soya est un substitut on ne peut plus intéressant au beurre d'arachide. Vous pouvez, cela va de soi, l'acheter déjà préparé, mais il est si facile de le faire à la maison !

250 ml (1 tasse) de haricots de soya rôtis
45 ml (3 c. à soupe) d'huile de canola
7 ml (1½ c. à thé) de sucre glace

1 Mettez 125 ml (½ tasse) de haricots de soya rôtis dans le bol d'un mélangeur de table. Versez l'huile de canola puis mélangez à vitesse élevée pendant 3 minutes.

2 Ajoutez le sucre glace ainsi que 60 ml (4 c. à soupe) de haricots de soya. Mélangez de nouveau pendant 3 minutes.

3 Incorporez les haricots de soya restants et mélangez pendant encore 4 minutes ou jusqu'à la consistance souhaitée (selon que vous préférez votre beurre plus ou moins croquant).

BLÉ : en cas d'allergie au blé, assurez-vous que le sucre glace ne contienne pas d'amidon de blé.

Cretons

Préparation : 20 min	Cuisson : 50 min	Quantité : 685 ml (2¾ tasses)

Notre recette de cretons s'inspire (très) largement de celle de l'arrière-grand-maman Georgette. Préparés avec amour, ils sont toujours savoureux.

Les cretons se congèlent bien. Décongelés au four à micro-ondes, ils perdent toutefois une bonne partie de leur onctuosité. Mieux vaut donc les laisser décongeler lentement au réfrigérateur.

2 oignons
2 rognons de porc
150 g (5 oz) de panne de porc
450 g (1 lb) de porc maigre haché
2 ml (½ c. à thé) de sarriette séchée
2 ml (½ c. à thé) d'origan séché
185 ml (¾ tasse) d'eau froide
60 ml (4 c. à soupe) de flocons d'avoine
sel et poivre

1 Épluchez et hachez les oignons. Parez les rognons en prenant bien soin d'enlever tous les conduits internes (parties blanches) puis coupez-les grossièrement.

2 Réduisez les rognons et les oignons en purée à l'aide d'un robot culinaire. Réservez.

3 Déposez la panne de porc dans une casserole après l'avoir entaillée avec un couteau. Faites fondre la panne à feu moyen jusqu'à ce que la graisse soit entièrement fondue (environ 5 minutes). Si la panne est attachée à un morceau de carcasse, retirez celui-ci de la casserole. Ajoutez le porc haché, la purée de rognons et d'oignons, la sarriette, l'origan, le sel et le poivre. Versez l'eau sur le tout. Ajoutez les flocons d'avoine et mélangez.

4 Portez à ébullition. Réduisez le feu et laissez mijoter doucement, en couvrant à moitié, pendant 45 minutes. Remuez fréquemment. Rectifiez l'assaisonnement.

5 Mettez en pots. Conservez au réfrigérateur.

Truc : votre boucher est à court de panne de porc ? Vous pouvez remplacer le porc maigre haché par 450 g (1 lb) de porc gras haché et le résultat sera presque aussi intéressant.

sans :

œuf

lait

soya

arachide

noix

graine de sésame

blé

poisson

mollusques

crustacés

bœuf

poulet

Pâté de foie

Préparation : 20 min	Cuisson : 1 h	Quantité : 1½ l (6 tasses)

Une autre recette tirée du petit cahier noir de l'arrière-grand-maman Georgette !

Le pâté de foie se congèle bien. Comme pour les cretons, la décongélation au four à micro-ondes est cependant tout à fait déconseillée.

4 gousses d'ail
2 oignons
675 g (1½ lb) de foie de porc
675 g (1½ lb) de porc gras haché
5 ml (1 c. à thé) de sauge séchée
7 ml (1½ c. à thé) de sel
poivre

1 Épluchez et hachez les gousses d'ail ainsi que les oignons.

2 Réduisez le foie, l'ail et les oignons en purée à l'aide d'un robot culinaire.

3 Mélangez tous les ingrédients dans un grand bol. Faites cuire la préparation au bain-marie à feu doux pendant 1 heure.

4 Rectifiez l'assaisonnement. Laissez refroidir un peu la préparation puis passez-la au robot culinaire jusqu'à ce qu'elle devienne onctueuse.

5 Mettez en pots. Conservez au réfrigérateur.

sans :

œuf

lait

soya

arachide

noix

graine de sésame

blé

poisson

mollusques

crustacés

bœuf

poulet

Vous désirez mettre un peu de piquant dans votre vie ? Pourquoi ne pas commencer par vos aliments et mets cuisinés ? Voici quelques idées pour les assaisonner, les épicer, les aromatiser, les agrémenter, bref, pour en rehausser, plus ou moins subtilement, le goût. Avantage non négligeable : la plupart des recettes qui suivent ne contiennent aucun des principaux allergènes alimentaires.

GELÉES, MARINADES ET CONDIMENTS

sans :

œuf

lait

soya

arachide

noix

graine de sésame

blé

poisson

mollusques

crustacés

bœuf

poulet

Gelée de canneberges

Préparation : moins de 5 min	Cuisson : 5 min	Quantité : 435 ml (1¾ tasse)

Une recette toute simple qui, au Québec comme ailleurs en Amérique du Nord, fait partie intégrante de la tradition culinaire. Cette gelée relève notamment le goût de la volaille, des tourtières et autres pâtés. Nous l'employons en outre dans la préparation de nos muffins aux fraises et canneberges (p. 212).

La gelée de canneberges se conserve de 3 à 4 semaines au réfrigérateur.

500 ml (2 tasses) de canneberges fraîches ou décongelées
125 ml (½ tasse) d'eau
185 ml (¾ tasse) de sucre

1 Dans une casserole, mélangez les canneberges, l'eau et le sucre. Portez le mélange à ébullition en remuant à l'occasion.

2 Poursuivez la cuisson à feu moyen, sans couvrir, pendant approximativement 5 minutes. Remuez de temps à autre.

3 Versez la gelée dans un bocal stérilisé et réfrigérez.

Variante au jus d'orange: pour un goût légèrement différent, remplacez 80 ml (⅓ tasse) d'eau par un volume égal de jus d'orange.

Gelée de canneberges et betteraves

Préparation : 10 min   Cuisson : 25 à 55 min   Quantité : 625 ml (2½ tasses)

Une variante de la gelée de canneberges, délicieuse avec le porc, l'agneau, les tourtières, etc.

La gelée de canneberges et betteraves se conserve de 3 à 4 semaines au réfrigérateur.

2 grosses betteraves
500 ml (2 tasses) de canneberges fraîches ou décongelées
125 ml (½ tasse) d'eau
125 ml (½ tasse) de sucre

1 Mettez les betteraves dans une casserole après les avoir débarrassées de leurs tiges. Recouvrez d'eau puis portez à ébullition. Couvrez et faites cuire de 20 à 50 minutes (selon la grosseur et la fraîcheur des betteraves). Rincez à l'eau froide, pelez et coupez en cubes.

2 Dans une casserole, mélangez les canneberges, l'eau et le sucre. Portez le tout à ébullition à feu vif en remuant à l'occasion.

3 Poursuivez la cuisson à feu moyen, sans couvrir, pendant approximativement 5 minutes. Remuez de temps à autre.

4 Mélangez au robot culinaire les cubes de betteraves et la gelée de canneberges jusqu'à l'obtention d'une consistance bien lisse (15 à 30 secondes).

5 Versez la gelée dans un pot stérilisé et réfrigérez.

sans :

œuf

lait

soya

arachide

noix

graine de sésame

blé

poisson

mollusques

crustacés

bœuf

poulet

Marinade au curcuma

Préparation : 10 min   Cuisson : aucune   Repos : 1 à 3 h   Quantité : 125 ml (½ tasse)

Idéale pour les viandes blanches (poulet, porc, etc.).

1 gousse d'ail
3 feuilles de basilic frais
60 ml (4 c. à soupe) de sauce soya
30 ml (2 c. à soupe) de jus de citron
15 ml (1 c. à soupe) de cassonade
15 ml (1 c. à soupe) de vinaigre balsamique
15 ml (1 c. à soupe) de vinaigre de vin
15 ml (1 c. à soupe) d'huile d'olive
5 ml (1 c. à thé) de curcuma
poivre

1 Épluchez puis hachez la gousse d'ail. Hachez les feuilles de basilic.

2 Mélangez tous les ingrédients dans un bol.

3 Mettez la viande dans un plat en verre puis versez la marinade sur celle-ci. Retournez la viande de façon à ce qu'elle soit bien enrobée de marinade. Couvrez le plat d'une pellicule plastique. Laissez mariner au réfrigérateur pendant 1 à 3 heures.

BLÉ : le blé vous est interdit ? Prenez garde : plusieurs sauces soya en contiennent.

Marinade au ketchup

Préparation : 5 min   Cuisson : aucune   Repos : 1 à 3 h   Quantité : 185 ml (¾ tasse)

Cette marinade relève la saveur des viandes blanches tout autant que celle des viandes rouges.

2 gousses d'ail
45 ml (3 c. à soupe) d'huile d'olive
45 ml (3 c. à soupe) de sauce soya
60 ml (4 c. à soupe) de ketchup (p. 286)
5 ml (1 c. à thé) de jus de citron
sel et poivre

1 Épluchez puis hachez les gousses d'ail.

2 Versez l'huile d'olive et la sauce soya dans un bol. Ajoutez l'ail, le ketchup, le jus de citron, le sel et le poivre. Mélangez.

3 Mettez la viande dans un plat en verre puis versez la marinade sur celle-ci. Retournez la viande de façon à ce qu'elle soit bien enrobée de marinade. Couvrez le plat d'une pellicule plastique. Laissez mariner au réfrigérateur pendant 1 à 3 heures.

BLÉ : le blé vous est interdit ? Prenez garde : plusieurs sauces soya en contiennent.

sans :

œuf

lait

arachide

noix

graine de sésame

blé

poisson

mollusques

crustacés

bœuf

poulet

sans :

œuf

lait

arachide

noix

graine de sésame

poisson

mollusques

crustacés

bœuf

poulet

Mayonnaise

Préparation : 10 min	Cuisson : moins de 5 min	Quantité : 250 ml (1 tasse)

Une mayonnaise sans œufs ? Oui, c'est possible ! Tout comme la « vraie », cette mayonnaise peut assaisonner vos salades, garnir vos sandwiches, servir de base pour préparer diverses sauces et quoi encore ! Elle se conserve très bien au réfrigérateur. Il faut toutefois la battre un peu avant chaque utilisation.

20 ml (4 c. à thé) de farine de blé
10 ml (2 c. à thé) de sucre
2 ml (½ c. à thé) de sel
80 ml (⅓ tasse) d'eau
80 ml (⅓ tasse) d'huile d'olive
30 ml (2 c. à soupe) de jus de citron
15 ml (1 c. à soupe) de vinaigre blanc
45 ml (3 c. à soupe) de tofu ferme à texture fine
poivre

1 Dans une casserole, mélangez la farine de blé, le sucre et le sel. Ajoutez l'eau. Mélangez jusqu'à l'obtention d'une pâte homogène. Chauffez à feu moyen en brassant continuellement avec un fouet jusqu'au point d'ébullition. Réduisez à feu doux et poursuivez la cuisson pendant 1 minute. Retirez du feu et réservez.

2 Versez l'huile d'olive, le jus de citron et le vinaigre dans un bol. Mélangez. Ajoutez le tofu, le poivre ainsi que le contenu de la casserole. Passez la préparation au mélangeur à main jusqu'à ce qu'elle soit lisse et blanchâtre. Conservez au réfrigérateur.

Ketchup

Préparation : 15 min	Cuisson : 2 h 5	Quantité : 1 l (4 tasses)

Du vrai ketchup, rouge et bien lisse comme celui que l'on trouve sur les tablettes des supermarchés ! Il s'agit en fait d'une vieille recette familiale revisitée par une grand-maman aimante afin qu'elle soit sans danger pour son petit-fils (cette version est, entre autres, exempte de moutarde). Notre petit bonhomme y plonge ses frites (maison, vous l'aurez deviné !) avec délectation. Il n'est pas le seul !

En saison, vous pouvez préparer votre ketchup avec des tomates fraîches. Il s'agit alors de remplacer les tomates en conserve par 5 à 6 grosses tomates fraîches bien mûres (environ 1½ l / 6 tasses de tomates coupées en dés). Vous voudrez peut-être alors réduire un peu la quantité de sucre utilisé.

Ce ketchup se conserve de 3 à 4 semaines au réfrigérateur. Il peut, par ailleurs, être congelé.

1 oignon
1 poireau
1625 ml (6½ tasses) de tomates en conserve coupées en dés (sans assaisonnements)
125 ml (½ tasse) de vinaigre blanc
60 ml (4 c. à soupe) de sucre
1 feuille de laurier
1 ml (¼ c. à thé) de curcuma moulu
3 ml (¾ c. à thé) de sel
2 ml (½ c. à thé) de poivre
160 ml (⅔ tasse) de pâte de tomates (sans assaisonnements)

1 Épluchez puis hachez l'oignon. Tranchez le poireau en deux dans le sens de la longueur pour ensuite le couper en demi-rondelles.

2 Mettez les tomates de même que les morceaux de poireau et d'oignon dans une grande casserole. Portez à ébullition en remuant à l'occasion. Réduisez le feu et laissez ensuite mijoter doucement à découvert pendant 30 minutes. Brassez de temps à autre.

3 Ajoutez le vinaigre, le sucre, la feuille de laurier, le curcuma, le sel et le poivre. Mélangez. Poursuivez la cuisson, à feu assez doux, sans couvrir, pendant approximativement 1 heure 30 minutes ou jusqu'à ce que la plus grande partie du liquide soit évaporée. Remuez de temps à autre.

4 Incorporez la pâte de tomates. Laissez mijoter encore 5 minutes. Ajustez l'assaisonnement.

sans :

œuf

lait

soya

arachide

noix

graine de sésame

blé

poisson

mollusques

crustacés

bœuf

poulet

Ketchup **(suite)**

5 Après avoir retiré la feuille de laurier, passez la préparation au robot culinaire jusqu'à l'obtention d'une consistance bien lisse.

6 Versez le ketchup dans des pots stérilisés et réfrigérez.

Chutney aux fruits

Préparation : 20 min	Cuisson : 2 h	Quantité : 1½ l (6 tasses)

Comme pour le ketchup (p. 286), vous pouvez remplacer les tomates en conserve par des tomates fraîches.

Ce chutney se conserve de 3 à 4 semaines au réfrigérateur.

1 oignon
1 poireau
1 poivron rouge
2 poires
1 pomme
1625 ml (6½ tasses) de tomates en conserve coupées en dés (sans assaisonnements)
250 ml (1 tasse) de vinaigre blanc
105 ml (7 c. à soupe) de sucre
2 ml (½ c. à thé) de curcuma moulu
3 ml (¾ c. à thé) de sel
2 ml (½ c. à thé) de poivre
1 feuille de laurier

1 Épluchez puis hachez l'oignon. Tranchez le poireau en deux dans le sens de la longueur pour ensuite le couper en demi-rondelles. Coupez le poivron rouge en cubes. Pelez puis coupez en petits morceaux les poires et la pomme.

2 Dans une grande casserole, mettez les tomates de même que les morceaux d'oignon, de poireau, de poivron, de poires et de pomme. Portez à ébullition en remuant à l'occasion. Réduisez le feu et laissez ensuite mijoter doucement à découvert pendant 30 minutes. Brassez de temps à autre.

3 Ajoutez le vinaigre, le sucre, le curcuma, le sel, le poivre et la feuille de laurier. Mélangez. Poursuivez la cuisson, à feu assez doux, sans couvrir, pendant approximativement 1 heure 30 minutes ou jusqu'à ce que la plus grande partie du liquide soit évaporée. Remuez de temps à autre.

4 Retirez la feuille de laurier. Versez le chutney dans des pots stérilisés et réfrigérez.

sans :

œuf

lait

soya

arachide

noix

graine de sésame

blé

poisson

mollusques

crustacés

bœuf

poulet

Relish

Cette relish se conserve de 3 à 4 semaines au réfrigérateur.

3 oignons moyens
4 concombres moyens
15 ml (1 c. à soupe) de gros sel
250 ml (1 tasse) de sucre
125 ml (½ tasse) de vinaigre blanc
2 ml (½ c. à thé) de curcuma moulu
3 ml (¾ c. à thé) de sel
2 ml (½ c. à thé) de poivre

1 Épluchez et coupez les oignons en petits dés (environ 500 ml / 2 tasses). Coupez également les concombres (sans les peler) en petits dés (environ 1¼ l / 5 tasses). Mettez les morceaux d'oignons et de concombres dans un bol. Ajoutez le gros sel et mélangez. Utilisez une pellicule plastique pour recouvrir le bol et laissez reposer à la température de la pièce pendant environ 3 heures. Remuez de temps à autre.

2 Retirez l'eau du bol et égouttez les oignons et les concombres.

3 Mettez les morceaux d'oignons et de concombres de même que le sucre, le vinaigre blanc, le curcuma, le sel et le poivre dans une grande casserole. Portez à ébullition en remuant à l'occasion. Réduisez le feu et laissez ensuite mijoter doucement et à découvert pendant 20 minutes. Brassez de temps à autre.

4 Versez la relish dans des pots stérilisés et réfrigérez.

sans :

œuf

lait

soya

arachide

noix

graine de sésame

blé

poisson

mollusques

crustacés

bœuf

poulet

Tapenade

Préparation : moins de 5 min	Cuisson : aucune	Quantité : 200 ml (⅘ tasse)

La tapenade est une purée d'olives noires à laquelle on peut ajouter divers ingrédients : câpres, anchois, miettes de thon, ail, etc. La version que nous vous proposons est toute simple et, donc, très polyvalente. Tartinée sur des triangles de pâte à pizza (p. 197) ou sur des croûtons de pain, elle peut être servie comme hors-d'œuvre. Elle peut également remplacer les sauces toma- tées qui accompagnent traditionnellement les pâtes, garnir les sandwiches (p. 202) ou les hambourgeois (p. 201) et relever, avec grande classe, le goût de certains poissons (p. 182).

La tapenade se conserve pendant quelques semaines au réfrigérateur.

375 ml (1½ tasse) d'olives noires dénoyautées
30 ml (2 c. à soupe) d'huile d'olive
sel

1 Égouttez les olives.

2 Mettez tous les ingrédients dans un bol et passez le tout au mélangeur à main jusqu'à l'obtention d'une purée.

sans :

œuf

lait

soya

arachide

noix

graine de sésame

blé

poisson

mollusques

crustacés

bœuf

poulet

Pistou

Préparation : 15 min	Cuisson : aucune	Quantité : 80 ml (⅓ tasse)

D'origine provençale, le pistou s'inspire largement du pesto italien, sauf qu'il ne contient ni pignon ni parmesan. Une bonne nouvelle si vous devez éviter les noix ou les produits laitiers !

500 ml (2 tasses) de feuilles de basilic frais
30 ml (2 c. à soupe) d'huile d'olive

1 Mélangez les ingrédients au robot culinaire jusqu'à ce que les feuilles de basilic soient hachées très finement et qu'elles soient bien mélangées avec l'huile d'olive (moins de 1 minute).

2 Versez la préparation dans un moule à glaçons (environ 15 ml / 1 c. à soupe de pistou par cube). Congelez.

Variante à l'ail : vous préférez votre pistou aillé ? Très bien ! L'ail supportant très mal la congélation, mieux vaut toutefois l'ajouter juste avant de consommer le pistou.

Chocolat chaud, vin chaud à l'autrichienne, thé glacé, sangria… chacune de ces boissons est associée à un souvenir heureux : une soirée passée au coin du feu, un voyage, un pique-nique en famille, une fête réussie.

Il suffit parfois de si peu de choses pour créer un moment parfait…

Chocolat chaud

sans :

œuf

lait

arachide

noix

graine de sésame

blé

poisson

mollusques

crustacés

bœuf

poulet

Préparation : moins de 5 min	Cuisson : moins de 5 min	Quantité : 500 ml (2 tasses)

Pour amateurs de chocolat...

20 ml (4 c. à thé) de cacao
15 ml (1 c. à soupe) de sucre
500 ml (2 tasses) de boisson de soya permise

1 Mettez le cacao et le sucre dans un bol pouvant aller au four à micro-ondes. Versez 60 ml (4 c. à soupe) de boisson de soya et mélangez jusqu'à ce que vous ayez obtenu un sirop assez homogène.

2 Faites chauffer le tout au micro-ondes à puissance maximale pendant 30 secondes.

3 Versez le reste de la boisson de soya et mélangez de nouveau. Remettez le bol au micro-ondes et faites chauffer à puissance maximale pendant 3 minutes.

4 Servez immédiatement.

LAIT : plusieurs marques de cacao contiennent (ou peuvent contenir) des traces de produits laitiers. N'hésitez pas à communiquer avec le manufacturier pour obtenir des précisions.

Variante sans soya : vous pouvez remplacer la boisson de soya par une boisson à base de riz. Nous avons essayé et c'est délicieux ! D'autres substituts du lait pourraient sans doute convenir. À vous d'expérimenter !

Vin chaud à l'autrichienne

Préparation : moins de 5 min   Cuisson : moins de 5 min   Quantité : 500 ml (2 tasses)

Souvenir du marché de Noël en plein air à Salzbourg... rien de mieux pour se réchauffer après une promenade hivernale vivifiante !

Que diriez-vous de déguster cette petite gâterie en apéro (au coin du feu si la chose est possible) pendant que votre progéniture savoure un bon chocolat chaud (voir p. 295) ? Vous le méritez bien...

20 ml (4 c. à thé) de sucre
2 ml (½ c. à thé) de cannelle moulue
1 pincée de muscade moulue
500 ml (2 tasses) de vin rouge

1 Dans un bol pouvant aller au four à micro-ondes, mettez le sucre, la cannelle et la muscade. Versez 125 ml (½ tasse) de vin et mélangez.

2 Faites chauffer le tout au micro-ondes à puissance maximale pendant 45 secondes.

3 Versez le reste du vin et mélangez de nouveau jusqu'à ce que le sucre soit complètement dissous. Remettez le bol au micro-ondes et faites chauffer à puissance assez élevée (8, sur notre micro-ondes) pendant 3 minutes. Le vin doit être chaud, mais il ne faut pas le faire bouillir.

4 Servez immédiatement.

ŒUF : mieux vaut choisir judicieusement votre vin si vous devez éviter les œufs. Certains vins sont en effet clarifiés avec du blanc d'œuf.

sans :

œuf

lait

soya

arachide

noix

graine de sésame

blé

poisson

mollusques

crustacés

bœuf

poulet

Thé glacé

Préparation : 15 min	Cuisson : moins de 5 min	Repos : 20 min ou plus
Quantité : 1 l (4 tasses)		

Boisson royale pour après-midi d'été torride…

Pour cette recette, les thés assam, english breakfast, orange pekoe de même que les thés aromatisés aux fruits sont d'excellents choix. Le thé earl grey, par contre, n'est pas très indiqué.

1 l (4 tasses) d'eau
15 ml (1 c. à soupe) de thé
½ citron
plusieurs glaçons (une trentaine)
60 ml (4 c. à soupe) de sucre
30 ml (2 c. à soupe) de jus de citron

1 Faites bouillir l'eau. Versez l'eau sur les feuilles de thé et laissez infuser pendant 4 à 5 minutes. Retirez les feuilles. Laissez refroidir.

2 Coupez le ½ citron en rondelles. Dans une carafe, mettez les glaçons, le sucre, les rondelles et le jus de citron.

3 Versez le thé dans la carafe lorsque celui-ci est suffisamment refroidi. À l'aide d'une cuillère de bois, remuez la préparation tout en écrasant les rondelles de citron pour en faire jaillir le jus.

4 Servez bien froid.

sans :

œuf

lait

soya

arachide

noix

graine de sésame

blé

poisson

mollusques

crustacés

bœuf

poulet

Sangria

Préparation : 10 min	Cuisson : aucune	Quantité : 1½ l (6 tasses)

Un apéro estival, frais, joyeux et sans prétention. Si vous omettez le vin, vous obtiendrez une super limonade pour étancher la soif des plus petits !

2 citrons
3 oranges
375 ml (1½ tasse) de jus d'orange
375 ml (1½ tasse) de jus de raisin
90 ml (6 c. à soupe) de jus de citron
45 ml (3 c. à soupe) de sucre
750 ml (3 tasses) de vin rouge
plusieurs glaçons (une trentaine)

1 Coupez les citrons et les oranges en tranches et déposez celles-ci dans un bol à punch (ou un autre récipient approprié). Versez le jus d'orange, le jus de raisin et le jus de citron. Ajoutez le sucre. À l'aide d'une cuillère de bois, remuez la préparation tout en écrasant les tranches de citrons et d'oranges pour en faire jaillir le jus.

2 Versez le vin et ajoutez les glaçons. Mélangez de nouveau.

3 Servez bien froid.

ŒUF : mieux vaut choisir judicieusement votre vin si vous devez éviter les œufs. Certains vins sont en effet clarifiés avec du blanc d'œuf.

sans :

œuf

lait

soya

arachide

noix

graine de sésame

blé

poisson

mollusques

crustacés

bœuf

poulet

Allergies alimentaires ou non, il n'est pas question de célébrer autrement qu'avec panache les petites et les grandes occasions! Fêtes traditionnelles, anniversaires, pique-niques, brunchs du dimanche et repas raffinés : autant de possibilités de festoyer et de faire bombance!

Les menus qui suivent ont été élaborés à partir des recettes contenues dans ce livre. En plus des suggestions de repas de fête, vous trouverez quelques idées pour remplir la boîte à lunch. Ces menus vous conviennent tels quels? Tant mieux! Mais vous pouvez également vous en servir comme point de départ pour stimuler votre imagination culinaire.

Noël

sans :	
œuf	
lait	
arachide	
noix	
graine de sésame	
poisson	
mollusques	
crustacés	
bœuf	
poulet	

Le sapin luit doucement et la table, soigneusement dressée, resplendit. Alléchés par les arômes voluptueux qui s'échappent de la cuisine, vos invités sont de plus en plus nombreux à délaisser le salon pour rôder autour de vos chaudrons. Les rires fusent; l'heure est à l'euphorie. Joyeux Noël !

103 **Poireaux vinaigrette de grand-maman Pierrette**

112 **Crème de tomate**

163 **Rôti de porc aux dattes**
126 **Asperges et carottes sautées**
121 **Pommes de terre au romarin**

Salade verte

255 **Sorbet aux fraises et au melon d'eau**
264 **Sablés**

Jour de l'An

Que se souhaiter pour la nouvelle année ? De la santé, de la santé et encore de la santé !

135 Salade de tomates et de champignons

111 Soupe aux légumes

166 Ragoût de pattes de porc
165 Tourtière
281 Gelée de canneberges
123 Purée de patates douces et de pommes
      Betteraves

230 Tarte aux pommes et à l'érable

sans :

œuf

lait

arachide

noix

graine de sésame

poisson

mollusques

crustacés

bœuf

poulet

Fête des Rois

sans :

œuf

lait

arachide

noix

graine de sésame

poisson

mollusques

crustacés

Pourquoi ne pas remplacer la traditionnelle galette des Rois aux amandes par une tourte aux framboises ? Parions que vos invités ne se plaindront pas de cette petite entorse aux conventions !

101 **Caponata**
207 **Croûtons de blé**

116 **Borchtch**

160 **Poulet aux pêches et à la mangue**
　　 Pois mange-tout
　　 Riz

137 **Salade d'épinards à l'érable**

232 **Tourte aux framboises**

Pâques

De l'agneau, du chocolat... un menu on ne peut plus pascal !

sans :

œuf

lait

arachide

noix

graine de sésame

poisson

mollusques

crustacés

bœuf

poulet

Action de grâce

sans :

œuf

lait

soya

arachide

noix

graine de sésame

poisson

mollusques

crustacés

poulet

Un repas automnal avec une dominante d'orangé...

114 **Potage à la citrouille**

170 **Navarin d'agneau aux couleurs d'automne**
122 **Galette de pommes de terre**
Carottes

Salade d'endives et de pommes

238 **Gâteau aux dattes et à l'orange**

Fête d'enfants

L'anniversaire de notre petit bonhomme est un prétexte de choix pour réunir famille et amis autour d'une table bien garnie. Les enfants courent en tous sens et les bébés piaillent tandis que les adultes conversent agréablement en sirotant un mousseux. Le bonheur, quoi !

100	**Guacamole**
	Assiette de crudités
200	**Pizza coup de cœur**
136	**Salade de porc et de tomates séchées**
	Salade verte
236-245	**Gâteau marbré avec glaçage au chocolat**

Jus ou limonade
Mousseux ou cidre pétillant (pour les plus grands !)

sans :

œuf

lait

arachide

noix

graine de sésame

poisson

mollusques

crustacés

bœuf

poulet

Fête d'enfants bis

sans :

œuf

lait

arachide

noix

graine de sésame

poisson

mollusques

crustacés

bœuf

poulet

Une autre façon de célébrer la fête d'un tout-petit : un buffet sucré servi à l'heure de la collation.

234-245 **Gâteau au chocolat avec glaçage au chocolat**
266 **Macarons d'Isabelle**
249 **Assiette de fruits frais avec sauce express au chocolat**
261 **Biscuits aux dattes et aux raisins secs**

Jus ou limonade

Pique-nique

Un menu de pique-nique frais, coloré et nourrissant pour jouer longtemps, longtemps...

sans :

œuf

lait

soya

arachide

noix

graine de sésame

poisson

mollusques

crustacés

bœuf

poulet

Boîte à lunch

Un repas complet.

Jus de tomate

202 **Sandwich au thon**
   Crudités

252 **Délice aux petits fruits**
262 **Biscuits tropicaux au chocolat**

sans :

œuf

lait

arachide

noix

graine de sésame

mollusques

crustacés

bœuf

poulet

Boîte à lunch bis

Vivement l'heure du lunch !

sans :

œuf

lait

soya

arachide

noix

graine de sésame

poisson

mollusques

crustacés

bœuf

Brunch

sans :

œuf

lait

arachide

noix

graine de sésame

poisson

mollusques

crustacés

bœuf

poulet

De quoi réveiller même les plus endormis !

Salade de fruits frais

141 **Tofu brouillé**
140 **Tarte ouverte aux poireaux**
 Tranches de concombres et de tomates
207 **Pain de blé**
276 **Cretons**
273-274 **Confitures**
222 **Gaufres aux pommes et sirop d'érable**
212 **Muffins aux fraises et canneberges**

Jus, thé et café

Souper fin

Un menu qui convient à moult occasions.

sans :

œuf

lait

arachide

noix

graine de sésame

poisson

mollusques

crustacés

Souper fin bis

Ce repas raffiné peut également être servi froid. Il s'agit simplement de napper le saumon refroidi de tzatziki au tofu (p. 97) et d'accompagner celui-ci d'une salade de riz froide.

98 **Douce salsa**
Croustilles ou croûtons

106 **Champignons de tante Alice**

181 **Saumon au vinaigre de vin à la framboise**
Riz
Asperges

254 **Crème glacée à la noix de coco et aux nervures de chocolat**
265 **Dentelles à l'érable**

sans :

œuf

lait

arachide

noix

graine de sésame

mollusques

crustacés

bœuf

poulet

Tableau des recettes et des allergènes

Tableau des recettes et des allergènes

Le tableau qui suit vise à accélérer le repérage des recettes en fonction des principaux allergènes alimentaires. Rappelons toutefois qu'il vous revient de vous assurer que les ingrédients des recettes sélectionnées conviennent bel et bien à votre régime ainsi qu'à celui de chacun de vos convives.

		œuf	lait	soya	arachide	noix	graine de sésame	blé*	poisson	mollusques	crustacés	bœuf	poulet
BASES													
87	Bouillon de bœuf											avec	
88	Bouillon de poulet												avec
89	Bouillon de porc												
90	Bouillon d'agneau												
91	Bouillon de légumes												
92	Fond de veau											avec	
93	Sauce béchamel			avec				avec					
93	Variante sans soya							avec					
94	Sauce tomate												
HORS-D'ŒUVRE ET ENTRÉES													
97	Tzatziki au tofu			avec									
98	Douce salsa												
98	Variante piquante												
99	Bruschetta							avec					
100	Guacamole												
101	Caponata												avec
102	Variante sans poulet												
103	Poireaux vinaigrette de grand-maman Pierrette												
104	Avocats pamplemousses												

Légende : ▢ sans   ▢ avec

*Une recette sans blé n'est pas forcément exempte de gluten.

		œuf	lait	soya	arachide	noix	graine de sésame	blé*	poisson	mollusques	crustacés	bœuf	poulet
105	Bouquet de cresson et de clémentines	sans	sans	avec	sans	sans	sans	sans	sans	sans	sans	sans	sans
105	Variante aux oranges	sans	sans	avec	sans	sans	sans	sans	sans	sans	sans	sans	sans
106	Champignons de tante Alice ★	sans	sans	sans	sans	sans	sans	sans	sans	sans	sans	sans	sans
107	Mesclun aux foies de volaille tièdes	sans	sans	sans	sans	sans	sans	sans	sans	sans	sans	sans	avec
SOUPES ET POTAGES													
111	Soupe aux légumes	sans	sans	sans	sans	sans	sans	avec	sans	sans	sans	sans	sans
111	Variante sans blé	sans	sans	sans	sans	sans	sans	sans	sans	sans	sans	sans	sans
112	Crème de tomate	sans	sans	sans	sans	sans	sans	sans	sans	sans	sans	sans	sans
112	Variante avec soya	sans	sans	avec	sans	sans	sans	sans	sans	sans	sans	sans	sans
113	Chaudrée de maïs	sans	sans	sans	sans	sans	sans	sans	sans	sans	sans	sans	sans
114	Potage à la citrouille	sans	sans	sans	sans	sans	sans	avec	sans	sans	sans	avec	sans
115	Variante sans bœuf et sans poulet	sans	sans	sans	sans	sans	sans	avec	sans	sans	sans	sans	sans
115	Variante sans blé	sans	sans	sans	sans	sans	sans	sans	sans	sans	sans	avec	sans
115	Variante aux tomates	sans	sans	sans	sans	sans	sans	avec	sans	sans	sans	avec	sans
116	Borchtch	sans	sans	sans	sans	sans	sans	sans	sans	sans	sans	avec	sans
117	Variante avec produits laitiers	sans	avec	sans	sans	sans	sans	sans	sans	sans	sans	avec	sans
117	Variante avec soya	sans	sans	avec	sans	sans	sans	sans	sans	sans	sans	avec	sans
118	Gaspacho	sans	sans	sans	sans	sans	sans	sans	sans	sans	sans	sans	sans
118	Variante à l'avocat	sans	sans	sans	sans	sans	sans	sans	sans	sans	sans	sans	sans
LÉGUMES ET PLATS D'ACCOMPAGNEMENT													
121	Pommes de terre au romarin	sans	sans	sans	sans	sans	sans	sans	sans	sans	sans	sans	sans
122	Galette de pommes de terre	sans	sans	sans	sans	sans	sans	sans	sans	sans	sans	sans	sans
123	Purée de patates douces et de pommes	sans	sans	sans	sans	sans	sans	sans	sans	sans	sans	sans	sans
124	Poêlée d'artichauts	sans	sans	sans	sans	sans	sans	sans	sans	sans	sans	sans	sans
125	Duxelles de champignons	sans	sans	sans	sans	sans	sans	sans	sans	sans	sans	sans	sans

*Une recette sans blé n'est pas forcément exempte de gluten.

★ recette qui peut facilement être réalisée avec un jeune enfant   ■ sans   □ avec

	œuf	lait	soya	arachide	noix	graine de sésame	blé*	poisson	mollusques	crustacés	bœuf	poulet
126 Asperges et carottes sautées	sans	sans	sans	sans	sans	sans	sans	sans	sans	sans	sans	sans
127 Ratatouille ★	sans	sans	sans	sans	sans	sans	sans	sans	sans	sans	sans	sans
128 Courge spaghetti au pistou et aux tomates	sans	sans	sans	sans	sans	sans	sans	sans	sans	sans	sans	sans
129 Couscous ★	sans	sans	sans	sans	sans	sans	avec	sans	sans	sans	sans	sans
130 Polenta	sans	sans	sans	sans	sans	sans	sans	sans	sans	sans	sans	sans
130 Variante frite	sans	sans	sans	sans	sans	sans	sans	sans	sans	sans	sans	sans
131 Pilaf de basmati	sans	sans	sans	sans	sans	sans	sans	sans	sans	sans	sans	sans
132 Variante avec soya	sans	sans	avec	sans	sans	sans	sans	sans	sans	sans	sans	sans
SALADES ET METS VÉGÉTARIENS												
135 Salade de tomates et de champignons ★	sans	sans	sans	sans	sans	sans	sans	sans	sans	sans	sans	sans
136 Salade de porc et de tomates séchées ★	sans	sans	sans	sans	sans	sans	sans	sans	sans	sans	sans	sans
137 Salade d'épinards à l'érable	sans	sans	sans	sans	sans	sans	sans	sans	sans	sans	sans	sans
138 Salade de couscous aux raisins secs ★	sans	sans	sans	sans	sans	sans	avec	sans	sans	sans	sans	sans
139 Salade de légumineuses ★	sans	sans	sans	sans	sans	sans	sans	sans	sans	sans	sans	sans
140 Tarte ouverte aux poireaux	sans	sans	avec	sans	sans	sans	avec	sans	sans	sans	sans	sans
141 Tofu brouillé	sans	sans	avec	sans	sans	sans	sans	sans	sans	sans	sans	sans
142 Purée de légumineuses	sans	sans	sans	sans	sans	sans	sans	sans	sans	sans	sans	sans
VIANDE, VOLAILLE ET GIBIER												
145 Brochettes de veau, sauce satay	sans	sans	avec	sans	sans	sans	sans	sans	sans	sans	avec	sans
147 Escalopes de veau au gingembre et au citron	sans	sans	avec	sans	sans	sans	sans	sans	sans	sans	avec	sans
148 Osso-buco	sans	sans	sans	sans	sans	sans	sans	sans	sans	sans	avec	sans
149 Foie de veau au vinaigre de vin à la framboise ★	sans	sans	sans	sans	sans	sans	sans	sans	sans	sans	avec	sans
149 Variante au vinaigre balsamique	sans	sans	sans	sans	sans	sans	sans	sans	sans	sans	avec	sans
150 Rognons de veau à la forestière	sans	sans	sans	sans	sans	sans	sans	sans	sans	sans	avec	sans

*Une recette sans blé n'est pas forcément exempte de gluten.

★ recette qui peut facilement être réalisée avec un jeune enfant   ■ sans   □ avec

	œuf	lait	soya	arachide	noix	graine de sésame	blé*	poisson	mollusques	crustacés	bœuf	poulet
151 Boulettes de veau, sauce soya et tomates ★	sans	sans	avec	sans	sans	sans	avec	sans	sans	sans	avec	sans
152 Pain de viande à la tomate	sans	sans	sans	sans	sans	sans	avec	sans	sans	sans	avec	sans
152 Variante sans blé	sans	sans	sans	sans	sans	sans	sans	sans	sans	sans	avec	sans
Fondue chinoise												
153 Bouillon	sans	sans	sans	sans	sans	sans	sans	sans	sans	sans	avec	sans
154 Variante avec œuf	avec	sans	sans	sans	sans	sans	sans	sans	sans	sans	avec	sans
155 Sauce au curcuma ★	sans	sans	avec	sans	sans	sans	sans	sans	sans	sans	sans	sans
156 Sauce à la relish ★	sans	sans	avec	sans	sans	sans	sans	sans	sans	sans	sans	sans
157 Sauce au ketchup ★	sans	sans	avec	sans	sans	sans	sans	sans	sans	sans	sans	sans
158 Sauce aux fines herbes ★	sans	sans	avec	sans	sans	sans	sans	sans	sans	sans	sans	sans
159 Escalopes de poulet au citron	sans	sans	sans	sans	sans	sans	sans	sans	sans	sans	sans	avec
160 Poulet aux pêches et à la mangue	sans	sans	sans	sans	sans	sans	sans	sans	sans	sans	sans	avec
161 Riz à la dinde	sans	sans	sans	sans	sans	sans	sans	sans	sans	sans	sans	sans
162 Rôti de porc	sans	sans	sans	sans	sans	sans	sans	sans	sans	sans	sans	sans
163 Rôti de porc aux dattes	sans	sans	sans	sans	sans	sans	sans	sans	sans	sans	sans	sans
164 Filets de porc farcis	sans	sans	sans	sans	sans	sans	sans	sans	sans	sans	sans	sans
165 Tourtière	sans	sans	avec	sans	sans	sans	avec	sans	sans	sans	sans	sans
165 Variante avec bœuf	sans	sans	sans	sans	sans	sans	avec	sans	sans	sans	avec	sans
166 Ragoût de pattes de porc	sans	sans	sans	sans	sans	sans	avec	sans	sans	sans	sans	sans
167 Gigot d'agneau	sans	sans	sans	sans	sans	sans	sans	sans	sans	sans	sans	sans
168 Pâté chinois ★	sans	sans	sans	sans	sans	sans	sans	sans	sans	sans	sans	sans
168 Variante aux champignons	sans	sans	sans	sans	sans	sans	sans	sans	sans	sans	sans	sans
169 Hachis d'agneau	sans	sans	sans	sans	sans	sans	sans	sans	sans	sans	sans	sans
170 Navarin d'agneau aux couleurs d'automne	sans	sans	sans	sans	sans	sans	sans	sans	sans	sans	sans	sans
171 Saucisses à la Gisèle	sans	sans	sans	sans	sans	sans	avec	sans	sans	sans	sans	sans

*Une recette sans blé n'est pas forcément exempte de gluten.

★ recette qui peut facilement être réalisée avec un jeune enfant   ▮ sans   ▢ avec

Allergen legend: gray cell = **sans** (without), white cell = **avec** (with)

#	Recette	œuf	lait	soya	arachide	noix	graine de sésame	blé*	poisson	mollusques	crustacés	bœuf	poulet
172	Variante avec œuf	avec	sans	sans	sans	sans	sans	avec	sans	sans	sans	sans	sans
173	Saucisses à la Ford Coppola	sans	sans	sans	sans	sans	sans	sans	sans	sans	sans	sans	sans
174	Bison à l'orientale	sans	sans	avec	sans	sans	sans	sans	sans	sans	sans	sans	sans
175	Lapin en papillote	sans	sans	avec	sans	sans	sans	sans	sans	sans	sans	sans	sans
POISSONS													
179	Croquettes de thon	sans	sans	avec	sans	sans	sans	avec	sans	sans	sans	sans	sans
181	Saumon au vinaigre de vin à la framboise	sans	sans	sans	sans	sans	sans	sans	avec	sans	sans	sans	sans
182	Filets de truite aux olives noires	sans	sans	sans	sans	sans	sans	sans	avec	sans	sans	sans	sans
PÂTES													
185	Lasagnes sans fromage	sans	sans	avec	sans	sans	sans	avec	sans	sans	sans	avec	sans
187	Sauce à spaghetti de grand-maman Denise	sans	sans	sans	sans	sans	sans	sans	sans	sans	sans	sans	sans
188	Sauce marinara ★	sans	sans	sans	sans	sans	sans	sans	sans	sans	sans	sans	sans
188	Variante avec soya	sans	sans	avec	sans	sans	sans	sans	sans	sans	sans	sans	sans
188	Variante avec basilic	sans	sans	sans	sans	sans	sans	sans	sans	sans	sans	sans	sans
189	Sauce rapido presto!	sans	sans	sans	sans	sans	sans	sans	sans	sans	sans	sans	sans
190	Farfalle au thon	sans	sans	avec	sans	sans	sans	avec	sans	sans	sans	sans	sans
191	Presque pesto	sans	sans	avec	sans	sans	sans	sans	sans	sans	sans	sans	sans
191	Variante aux olives et tomates séchées	sans	sans	avec	sans	sans	sans	sans	sans	sans	sans	sans	sans
192	Sauce froide aux tomates séchées	sans	sans	sans	sans	sans	sans	sans	sans	sans	sans	sans	sans
193	Spirales tricolores ★	sans	sans	sans	sans	sans	sans	avec	sans	sans	sans	sans	sans
PIZZAS ET SANDWICHES													
197	Pâte à pizza	sans	sans	sans	sans	sans	sans	avec	sans	sans	sans	sans	sans
198	Variante aux fines herbes	sans	sans	sans	sans	sans	sans	avec	sans	sans	sans	sans	sans
199	Pizza aux tomates séchées et au tofu ★	sans	sans	avec	sans	sans	sans	avec	sans	sans	sans	sans	sans
200	Pizza coup de cœur ★	sans	sans	sans	sans	sans	sans	avec	sans	sans	sans	sans	sans
200	Variante sans tomates	sans	sans	sans	sans	sans	sans	avec	sans	sans	sans	sans	sans

*Une recette sans blé n'est pas forcément exempte de gluten.

★ recette qui peut facilement être réalisée avec un jeune enfant　　■ sans　　□ avec

		œuf	lait	soya	arachide	noix	graine de sésame	blé*	poisson	mollusques	crustacés	bœuf	poulet
201	Hambourgeois à la viande chevaline ★	sans	sans	sans	sans	sans	sans	avec	sans	sans	sans	sans	sans
202	Sandwich au thon	sans	sans	sans	sans	sans	sans	avec	avec	sans	sans	sans	sans
203	Sandwich au poulet et à l'avocat	sans	sans	sans	sans	sans	sans	avec	sans	sans	sans	sans	avec
PAINS, MUFFINS ET GRUAU													
207	Pain de blé ★	sans	sans	sans	sans	sans	sans	avec	sans	sans	sans	sans	sans
208	Pains à hambourgeois	sans	sans	sans	sans	sans	sans	avec	sans	sans	sans	sans	sans
209	Scones	sans	sans	avec	sans	sans	sans	avec	sans	sans	sans	sans	sans
210	Pain doré aux bananes ★	sans	sans	avec	sans	sans	sans	avec	sans	sans	sans	sans	sans
211	Chapelure	sans	sans	sans	sans	sans	sans	avec	sans	sans	sans	sans	sans
212	Muffins aux fraises et canneberges ★	sans	sans	sans	sans	sans	sans	avec	sans	sans	sans	sans	sans
213	Muffins à la citrouille et aux raisins secs ★	sans	sans	sans	sans	sans	sans	avec	sans	sans	sans	sans	sans
214	Muffins aux bleuets ★	sans	sans	sans	sans	sans	sans	avec	sans	sans	sans	sans	sans
215	Gruau super nourrissant ★	sans	sans	sans	sans	sans	sans	sans	sans	sans	sans	sans	sans
CRÊPES ET GAUFRES													
219	Crêpes ★	sans	sans	avec	sans	sans	sans	avec	sans	sans	sans	sans	sans
219	Variante sans soya	sans	sans	sans	sans	sans	sans	avec	sans	sans	sans	sans	sans
219	Variante mélange de farines	sans	sans	avec	sans	sans	sans	avec	sans	sans	sans	sans	sans
220	Crêpes au chocolat ★	sans	sans	avec	sans	sans	sans	avec	sans	sans	sans	sans	sans
221	Galettes de sarrasin ★	sans	sans	sans	sans	sans	sans	avec	sans	sans	sans	sans	sans
221	Variante avec soya	sans	sans	avec	sans	sans	sans	avec	sans	sans	sans	sans	sans
222	Gaufres aux pommes ★	sans	sans	avec	sans	sans	sans	avec	sans	sans	sans	sans	sans
224	Gaufres à la banane ★	sans	sans	avec	sans	sans	sans	avec	sans	sans	sans	sans	sans
TARTES, GÂTEAUX ET AUTRES DESSERTS													
227	Pâte à tarte simple	sans	sans	sans	sans	sans	sans	avec	sans	sans	sans	sans	sans
229	Pâte à tarte sucrée	sans	sans	avec	sans	sans	sans	avec	sans	sans	sans	sans	sans

★ recette qui peut facilement être réalisée avec un jeune enfant   ■ sans   □ avec

*Une recette sans blé n'est pas forcément exempte de gluten.

	œuf	lait	soya	arachide	noix	graine de sésame	blé*	poisson	mollusques	crustacés	bœuf	poulet
230 Tarte aux pommes et à l'érable	sans	sans	avec	sans	sans	sans	avec	sans	sans	sans	sans	sans
231 Tarte aux fraises et à la rhubarbe	sans	sans	avec	sans	sans	sans	avec	sans	sans	sans	sans	sans
232 Tourte aux framboises	sans	sans	avec	sans	sans	sans	avec	sans	sans	sans	sans	sans
233 Aumônières de poires et de canneberges	sans	sans	avec	sans	sans	sans	avec	sans	sans	sans	sans	sans
234 Gâteau au chocolat ★	sans	sans	avec	sans	sans	sans	avec	sans	sans	sans	sans	sans
235 Gâteau blanc ★	sans	sans	sans	sans	sans	sans	avec	sans	sans	sans	sans	sans
236 Gâteau marbré ★	sans	sans	avec	sans	sans	sans	avec	sans	sans	sans	sans	sans
238 Gâteau aux dattes et à l'orange ★	sans	sans	avec	sans	sans	sans	avec	sans	sans	sans	sans	sans
239 Gâteau aux bananes ★	sans	sans	avec	sans	sans	sans	avec	sans	sans	sans	sans	sans
240 Gâteau pouding à la noix de coco ★	sans	sans	sans	sans	sans	sans	avec	sans	sans	sans	sans	sans
241 Pouding au riz	sans	sans	sans	sans	sans	sans	avec	sans	sans	sans	sans	sans
242 Croustillant aux framboises et aux poires ★	sans	sans	avec	sans	sans	sans	avec	sans	sans	sans	sans	sans
243 Croustillant aux pommes ★	sans	sans	avec	sans	sans	sans	avec	sans	sans	sans	sans	sans
244 Grands-pères à l'érable ★	sans	sans	avec	sans	sans	sans	avec	sans	sans	sans	sans	sans
245 Glaçage au chocolat	sans	sans	avec	sans	sans	sans	sans	sans	sans	sans	sans	sans
246 Glaçage au chocolat sans soya	sans	sans	sans	sans	sans	sans	sans	sans	sans	sans	sans	sans
247 Glaçage blanc à l'orange	sans	sans	avec	sans	sans	sans	sans	sans	sans	sans	sans	sans
248 Fondue au chocolat	sans	sans	avec	sans	sans	sans	sans	sans	sans	sans	sans	sans
248 Variante sans noix de coco	sans	sans	avec	sans	sans	sans	sans	sans	sans	sans	sans	sans
249 Sauce express au chocolat	sans	sans	avec	sans	sans	sans	sans	sans	sans	sans	sans	sans
250 Sauce caramel	sans	sans	sans	sans	sans	sans	sans	sans	sans	sans	sans	sans
251 Bananes caramélisées	sans	sans	sans	sans	sans	sans	sans	sans	sans	sans	sans	sans
251 Variante alcoolisée	sans	sans	sans	sans	sans	sans	sans	sans	sans	sans	sans	sans
252 Délice aux petits fruits ★	sans	sans	avec	sans	sans	sans	sans	sans	sans	sans	sans	sans
253 Mousse glacée au chocolat et aux bananes	sans	sans	avec	sans	sans	sans	sans	sans	sans	sans	sans	sans

*Une recette sans blé n'est pas forcément exempte de gluten.

★ recette qui peut facilement être réalisée avec un jeune enfant   ▓ sans   ☐ avec

		œuf	lait	soya	arachide	noix	graine de sésame	blé*	poisson	mollusques	crustacés	bœuf	poulet
254	Crème glacée à la noix de coco et aux nervures de chocolat ★	sans	sans	avec	sans	sans	sans	sans	sans	sans	sans	sans	sans
254	Variante sans cacao	sans	sans	avec	sans	sans	sans	sans	sans	sans	sans	sans	sans
255	Sorbet aux fraises et au melon d'eau	sans	sans	sans	sans	sans	sans	sans	sans	sans	sans	sans	sans
256	Compote de pommes	sans	sans	sans	sans	sans	sans	sans	sans	sans	sans	sans	sans
256	Variante sucrée	sans	sans	sans	sans	sans	sans	sans	sans	sans	sans	sans	sans
257	Compote de fraises et de rhubarbe	sans	sans	sans	sans	sans	sans	sans	sans	sans	sans	sans	sans
	BISCUITS ET FRIANDISES												
261	Biscuits aux dattes et aux raisins secs ★	sans	sans	sans	sans	sans	sans	avec	sans	sans	sans	sans	sans
262	Biscuits tropicaux au chocolat ★	sans	sans	sans	sans	sans	sans	avec	sans	sans	sans	sans	sans
263	Couronnes à la citrouille	sans	sans	sans	sans	sans	sans	avec	sans	sans	sans	sans	sans
263	Variante sans dattes	sans	sans	sans	sans	sans	sans	avec	sans	sans	sans	sans	sans
264	Sablés ★	sans	sans	avec	sans	sans	sans	avec	sans	sans	sans	sans	sans
265	Dentelles à l'érable	sans	sans	sans	sans	sans	sans	avec	sans	sans	sans	sans	sans
266	Macarons d'Isabelle ★	sans	sans	avec	sans	sans	sans	sans	sans	sans	sans	sans	sans
266	Variante sans soya	sans	sans	sans	sans	sans	sans	sans	sans	sans	sans	sans	sans
267	Macarons bis ★	sans	sans	sans	sans	sans	sans	sans	sans	sans	sans	sans	sans
268	Sucettes glacées au melon d'eau ★	sans	sans	sans	sans	sans	sans	sans	sans	sans	sans	sans	sans
269	Sucettes glacées aux petits fruits ★	sans	sans	avec	sans	sans	sans	sans	sans	sans	sans	sans	sans
	CONFITURES ET AUTRES TARTINADES												
273	Confiture de fraises	sans	sans	sans	sans	sans	sans	sans	sans	sans	sans	sans	sans
274	Confiture de quatre fruits	sans	sans	sans	sans	sans	sans	sans	sans	sans	sans	sans	sans
275	Beurre de soya	sans	sans	avec	sans	sans	sans	sans	sans	sans	sans	sans	sans
276	Cretons	sans	sans	sans	sans	sans	sans	sans	sans	sans	sans	sans	sans
277	Pâté de foie	sans	sans	sans	sans	sans	sans	sans	sans	sans	sans	sans	sans

★ recette qui peut être facilement être réalisée avec un jeune enfant   ▮ sans   ☐ avec

*Une recette sans blé n'est pas forcément exempte de gluten.

	œuf	lait	soya	arachide	noix	graine de sésame	blé*	poisson	mollusques	crustacés	bœuf	poulet
GELÉES, MARINADES ET CONDIMENTS												
281 Gelée de canneberges ★	sans	sans	sans	sans	sans	sans	sans	sans	sans	sans	sans	sans
281 Variante au jus d'orange	sans	sans	sans	sans	sans	sans	sans	sans	sans	sans	sans	sans
282 Gelée de canneberges et betteraves	sans	sans	sans	sans	sans	sans	sans	sans	sans	sans	sans	sans
283 Marinade au curcuma	sans	sans	avec	sans	sans	sans	sans	sans	sans	sans	sans	sans
284 Marinade au ketchup	sans	sans	avec	sans	sans	sans	sans	sans	sans	sans	sans	sans
285 Mayonnaise ★	sans	sans	avec	sans	sans	sans	avec	sans	sans	sans	sans	sans
286 Ketchup	sans	sans	sans	sans	sans	sans	sans	sans	sans	sans	sans	sans
288 Chutney aux fruits	sans	sans	sans	sans	sans	sans	sans	sans	sans	sans	sans	sans
289 Relish	sans	sans	sans	sans	sans	sans	sans	sans	sans	sans	sans	sans
290 Tapenade ★	sans	sans	sans	sans	sans	sans	sans	sans	sans	sans	sans	sans
291 Pistou	sans	sans	sans	sans	sans	sans	sans	sans	sans	sans	sans	sans
291 Variante à l'ail	sans	sans	sans	sans	sans	sans	sans	sans	sans	sans	sans	sans
BOISSONS												
295 Chocolat chaud	sans	sans	avec	sans	sans	sans	sans	sans	sans	sans	sans	sans
295 Variante sans soya	sans	sans	sans	sans	sans	sans	sans	sans	sans	sans	sans	sans
296 Vin chaud à l'autrichienne	sans	sans	sans	sans	sans	sans	sans	sans	sans	sans	sans	sans
297 Thé glacé	sans	sans	sans	sans	sans	sans	sans	sans	sans	sans	sans	sans
298 Sangria	sans	sans	sans	sans	sans	sans	sans	sans	sans	sans	sans	sans
MENUS												
301 Noël	sans	sans	avec	sans	sans	sans	avec	sans	sans	sans	sans	sans
302 Jour de l'An	sans	sans	avec	sans	sans	sans	avec	sans	sans	sans	sans	sans
303 Fête des Rois	sans	sans	avec	sans	sans	sans	avec	sans	sans	sans	avec	avec
304 Pâques	sans	sans	avec	sans	sans	sans	avec	sans	sans	sans	avec	sans
305 Action de grâce	sans	sans	sans	sans	sans	sans	sans	sans	sans	sans	avec	sans
306 Fête d'enfants	sans	sans	avec	sans	sans	sans	sans	sans	sans	sans	sans	sans

★ recette qui peut facilement être réalisée avec un jeune enfant   ▮ sans   ▯ avec

*Une recette sans blé n'est pas forcément exempte de gluten.

		œuf	lait	soya	arachide	noix	graine de sésame	blé*	poisson	mollusques	crustacés	bœuf	poulet
307	Fête d'enfants bis	sans	sans	avec	sans	sans	sans	avec	sans	sans	sans	sans	sans
308	Pique-nique	sans	sans	sans	sans	sans	sans	avec	sans	sans	sans	sans	sans
309	Boîte à lunch	sans	sans	sans	sans	sans	sans	sans	avec	sans	sans	sans	sans
310	Boîte à lunch bis	sans	sans	sans	sans	sans	sans	avec	sans	sans	sans	sans	sans
311	Brunch	sans	sans	avec	sans	sans	sans	avec	sans	sans	sans	sans	sans
312	Souper fin	sans	sans	sans	sans	sans	sans	avec	sans	sans	sans	avec	avec
313	Souper fin bis	sans	sans	avec	sans	sans	sans	avec	avec	sans	sans	sans	sans

■ sans   □ avec

*Une recette sans blé n'est pas forcément exempte de gluten.

Index des recettes

Index des recettes

Bibliographie

Bibliographie sélective

ARCHAMBAULT, Ariane et CORBEIL, Jean-Claude, *La Cuisine au fil des mots, Dictionnaire des termes de la cuisine,* Montréal, Les Éditions Québec Amérique, 1997, 240 p.

BENOIT, Jehane, *L'Encyclopédie de la cuisine de Jehane Benoit*, Ottawa, Éditions Mirabel, 1991, 751 p.

L'Encyclopédie visuelle des aliments, Montréal, Les Éditions Québec Amérique, 1996, 688 p.

Larousse gastronomique, Paris, Larousse, 2000, 3 tomes, 2751 p.

PINARD, Daniel, *Pinardises, Recettes et propos culinaires*, Montréal, Boréal, 1994, 303 p.

SOULARD, Jean, *Comme au Château*, Québec, 1997, 163 p.

Notes

Notes

Notes

Notes

Notes

Notes

Notes